KB172624

인형의 집

인형의 집

헨릭 입센 | 안동민 옮김

문예출판사

ET DUKKEHJEM

Henrik Ibsen

등장 인물

헬멜(변호사)

노라(헬멜의 아내)

닥터 랭크

닐스 크로그스타(법정 변호사)

린데 부인

헬멜의 세 자녀

안나 마리아(보모)

하녀

심부름꾼

무대는 헬멜의 집

1막

호사스럽지는 않으나 고상하게 꾸며진 편안한 거실.

무대 안 벽에 두 개의 문. 오른쪽 문은 현관 쪽으로, 왼쪽 문은 헬멜의 서재로 통한다. 그 사이에 피아노가 놓여 있다.

왼쪽 벽 한가운데 문이 있고, 그 문 가까이 창문이 있다. 창문 쪽에 둥근 테이블과 몇 개의 팔걸이의자와 작은 소파가 놓여 있다.

오른쪽 벽 안쪽 깊숙이 문이 있으며, 그보다 조금 앞쪽에 벽난로가 있고, 그 앞에 팔걸이의자 두 개와 흔들의자가 놓여 있다. 문과 벽난로 사이에 작은 테이블이 놓여 있다.

사방 벽에는 동판화들이 걸려 있고, 중국 도자기와 작은 미술품들이 놓여 있는 캐비닛이 보이고, 호화 장정본이 가지런히 꽂혀 있는 작은 책장, 방바닥에는 융단이 깔려 있다. 벽난로에는 불이 타고 있다. 겨울날이다.

바깥 현관 쪽에서 초인종이 울린다. 잠시 뒤에 문이 열리는 소리. 노라가 즐거운 듯이 콧노래를 부르면서 안으로 들어온다. 노라는 외출복을 입은 채 두 팔 가득 안고 들어온 짐을 오른쪽 테이블 위에 내려놓는다. 노라가 열어놓은 채 들어온 문을 통하여 크리스마스트리와 바구니를 든 심부름꾼의 모습이 보인다. 심부름꾼은 문을 열어준 하녀에게 짐을 준다.

노라 헬레나, 그 크리스마스트리를 잘 감춰둬야 해. 오늘 저녁 안에 아이들 눈에 띄어서는 안 되거든, 그때 장식을 할 테니까. (돈주머니를 꺼내면서 심부름꾼에게) 얼마죠?

심부름꾼 50외레 주시면 됩니다.

노라 여기 1크로나 있어요. 잔돈은 됐어요.

심부름꾼은 고맙다고 인사하고 간다. 노라는 문을 닫는다. 흐뭇하다는 듯이 빙글빙글 웃으면서 외출복을 벗는다. 주머니에서 마카론 싼 것을 꺼내 한두 개 먹는다. 그러고는 발소리를 죽이고 남편의 방 문 가까이 걸어가서 귀를 기울인다.

노라 그래, 방 안에 계시는군. (콧노래를 흥얼거리면서 오른쪽에 놓인 테이블 앞으로 간다.)

헬멜 (서재 안에서) 그 곳에서 지저귀는 것은 우리 집 종달새가?

노라 (짐 꾸러미를 부지런히 풀면서) 그렇다니까요.

헬멜 그 곳에서 뛰놀고 있는 것은 우리 집 다람쥐인가?

노라 (꾸러미를 풀면서) 그렇다니까요.

헬멜 다람쥐는 언제 돌아왔지?

노라 방금이요. (마카론 싼 것을 주머니 속에 넣고 입을 닦으며) 여보, 톨발, 이리 와서 제가 무엇을 사 왔는지 보고 싶지 않으세요?

헬멜 방해하지 말아주오. (곧이어 문을 열고 얼굴을 내민다. 손에 펜을 들고 있다) 사 왔구려? 그게 다요? 나의 귀여운 말괄량이 아씨께서는 또 돈을 많이 쓰고 오셨구먼?

노라 하지만 여보. 올해는 조금 숨 좀 돌리게 해주셔야 해요. 돈 때문에 안달하지 않고 보내는 크리스마스는 올해가 처음이잖아요.

헬멜 아니, 그렇지가 않지, 당신도 알다시피 우리는 돈을 낭비해서는 안 된다니까.

노라 아이 참 여보, 조금쯤은 괜찮잖아요, 네? 아주 조금인 걸요. 지금은 아주 좋은 자리에 앉게 되었잖아요. 이제부터는 많은 돈이 들어올 게 아니겠어요.

헬멜 새해부터지. 하지만 수입이 많아지려면 아직도 만 석 달은 기다려야 하거든.

노라 그렇다면 빌려 쓰면 되잖아요.

헬멜 노라! (가까이 다가서서 장난삼아 귀를 잡는다) 또 당신의 무분별이 시작되었구려. 만일 내가 오늘 1천 크로나를 빌려 와서 당신이 크리스마스에 전부 써버리고 그믐날 밤에 내 머리에 기와가 떨어져서 내가 죽어버린다면 어쩌려고 그러오—.

노라 (그의 입을 손으로 막으며) 그만둬요, 그런 끔찍한 소리는.

헬멜 그러나 만일 그런 일이 생기면—어떻게 하지?

노라 그런 끔찍스러운 일이 생기면 빚이야 있건 없건 마찬가지죠.

헬멜 하지만 돈을 빌려준 쪽도?

노라 빌려준 이요? 그런 사람은 아무러면 어때요. 어차피 모르는 사람일 텐데요.

헬멜 노라, 노라, 그대는 여자로다! 아니 진지한 이야기인데, 노라, 내 생각은 잘 알고 있겠지. 빚은 얻지 않는다! 빚지고 있는 집안은 좀처럼 발랄한 데가 없게 마련이지. 따라서 무엇인가 불결한 게 스며들어온다. 오늘날까지 둘이서 버티어 왔잖소. 인제 조금만 더 참으면 되는 거요.

노라 (벽난로 쪽으로 간다) 네, 네, 당신 좋을 대로 하시라구요.

헬멜 (따라오면서) 이봐요, 이보라구, 귀여운 종달새가 날개를 움츠려서야 쓰나, 안 그렇소? 이 다람쥐는 잔뜩 얼굴이 부어 있군 그래. (지갑을 꺼내 들면서) 여보 노라, 여기 무엇이 있을 것 같소?

노라 (재빨리 돌아다보고) 돈이군요!

헬멜 자아 여기 있소. (얼마간의 지폐를 꺼내어 아내에게 준다) 나도 크리스마스에 돈이 필요하다는 것쯤은 알고 있다니까.

노라 (헤아린다) 열— 스물— 서른— 마흔. 어머 고마워요, 여보. 이만큼 있으면 당분간 꾸려나갈 수 있어요.

헬멜 그 말 틀림없겠지.

노라 네, 네, 걱정 없대두요. 그보다는 이리 오지 않으실래요? 제가 산 걸 보여 드릴게. 아주 싸요! 보세요, 이것은 이와르의 새 셔츠—이것이 긴 칼이구요. 보브에게는 말과 나팔. 그리고 이것은 에미의 인형과 침대. 단순한 것이지만 어차피 그애는 곧 망가뜨릴 테니까요. 그리고 하녀들을 위해서는 양복감과 손수건을 샀어요. 난니 할멈에게는 좀 더 해주고 싶었지만요.

헬멜 여기 묶어 놓은 것은?

노라 (소리친다) 안 돼요, 여보, 오늘 밤까지는 보면 안 된다니까요.

헬멜 상관없다니까. 하지만 낭비 잘하는 양반아, 당신 자신을 위해서는 무엇을 샀지?

노라 오, 저 말인가요? 저는 아무것도 필요 없다니까요!

헬멜 아니 그럴 수는 없어. 자아 무엇이든 그다지 비싸지 않은 것으로 당신이 제일 갖고 싶은 걸 말해보구려.

노라 저는 모르겠어요. 아, 참 그렇군, 여보—

헬멜 응.

노라 (그의 옷 단추를 매만지며 그의 얼굴은 보지 않고) 만일 무엇인가 주시려거든, 그러면요— 그러면요—

헬멜 자아 어서 말해보구려—

노라 (급한 어조로) 돈을 주세요. 네? 마음 내키는 만큼 주시면 돼요. 제가 사겠어요.

헬멜 그러나 여보—

노라 네, 그렇게 해주세요, 네. 여보 부탁이에요. 그렇게 하면 그 돈을 예쁜 금종이에 싸서 크리스마스트리에 매달아 놓겠어요. 재미있다고 생각하지 않으세요?

헬멜 낭비만 일삼는 새를 뭐라고 하더라?

노라 네, 알아요— 돈 먹는 새겠죠. 하지만 제가 원하는 대로 하게 해주세요, 네. 톨발, 그렇게 하면 무엇을 사면 제일 좋을지 생각할 수 있는 여유도 생기고 이치에 맞잖아요? 어때요?

헬멜 (빙글빙글 웃으면서) 옳은 말이야. 다시 말해서 내가 주는 돈을 정말 꼭 간직하고 있다가 틀림없이 당신을 위해서 쓴다면 그렇다는 거지. 하지만 그 돈은 결국 시시한 집안일에 쓰여버리고 나는 또다시 돈을 주어야 하게 되니 이거야 원!

노라 하지만 여보—

헬멜 내 말이 틀리다고 말할 수 있겠소. 나의 귀여운, 귀여운 노라. (그녀의 허리를 얼싸안는다) 이 작은 새가 귀엽기는 하지만 터무니없이 많은 돈을 먹어버리거든. 요렇게 작은 새에 그렇게 많은 돈이 든다고는 도저히 믿을 수가 없거든.

노라 어머, 어떻게 그런 말씀을 할 수가 있죠? 저는 되도록 절약하고 있다니까요.

헬멜 (웃는다) 바로 그렇소, 될 수 있는 한 절약하고 있겠지. 그러나 당신에게는 사실 그게 잘 안 되는 거야.

노라 (고개를 끄덕이고 즐거운 듯이 미소 지으면서) 흥, 우리들 종달새와 다람쥐들에겐 얼마나 돈이 많이 드는지 알아주었으면 좋겠어요.

헬멜 묘한 사람이로군. 아버님 그대로야. 온갖 수단을 써서 돈을 짜내려고 하거든. 그러나 돈을 손에 넣은 순간, 손가락 사이로 모두 흘러나가버리거든. 어디로 가버렸는지 자기 자신도 모르는 거지. 할 수 없지. 핏줄이 그러니까. 그래그래, 유전이야, 노라.

노라 아, 아빠에게서 물려받고 싶었던 성격은 많았어요.

헬멜 그러나 나는 지금 그대로의 당신이 제일 좋소, 귀여운 종달새여, 가만 있자. 왜 그러오. 당신의 얼굴은— 뭐랄까— 아무래도 이상한데 그래—

노라 제 얼굴이 어쨌다구요?

헬멜 응, 이상해. 내 눈을 똑바로 보구려.

노라 (그를 뚫어지게 본다) 왜 그래요?

헬멜 이 과자 좋아하는 친구가 오늘 시내에서 굉장히 바쁘지 않았던가?

노라 아아뇨, 정말 하나도 바쁘지 않았어요, 여보.

헬멜 과자점에 정말 들르지 않았단 말이오.

노라 원 당치도 않은 말씀이에요.

헬멜 마카론을 한두 개 먹어보지 않았단 말이오?

노라 여보, 정말 아니라니까요. 맹세할 수 있어요.

헬멜 좋아, 좋아, 그저 농담을 해본 것뿐이오.

노라 (오른쪽 테이블 쪽으로 가면서) 당신이 좋아하지 않는 일은 절대로 하지 않는다니까요.

헬멜 당신이 그러지 않으리라는 것은 알고 있소. 게다가 분명히 약속을 했으니까 — (아내에게 가까이 간다) 자아 크리스마스 선물들을 감추어두라고. 오늘 밤 크리스마스트리에 불이 켜지면 보여줄 거잖소.

노라 당신, 랭크 선생님을 초대하는 걸 잊지는 않으셨죠?

헬멜 잊고 있었어. 하지만 새삼스레 초대할 필요도 없는 일이지. 그분이 우리하고 함께 식사한다는 것은 정해진 일이니까 말이오. 하지만 아침에 들르시면 초대한다고 말씀드리지. 맛있는 포도주를 준비해 놓아야 하오. 노라, 당신은 내가 얼마나 오늘 밤을 마음 두근거리면서 기다리고 있는지 짐작도 할 수 없을 거요.

노라 저도요. 그리고 애들도 아주 기뻐하고 있어요, 톨발!

헬멜 응, 기분이 좋군그래. 분명하게 보증 받은 직업을 갖고 있다는 것은. 게다가 수입이 많단 말이오. 어때 기쁘지 않소?

노라 아, 멋있어요! 기적 같아요!

헬멜 작년 크리스마스를 기억하고 있소? 석 주 동안이나 당신은 밤마다 당신 방에 틀어박혀 있곤 했지. 우리를 깜짝 놀래준다면서 혼자 크리스마스트리 꽃을 만들었지. 그렇게 따분하게 지낸 적은 처음이었소.

노라 저는 조금도 따분하지 않았는걸요.

헬멜 (빙그레 웃으며) 하지만 완성된 것은 빈약했었소, 노라.

노라 어머, 또다시 그 말을 꺼내서 저를 놀리시는군요. 고양이가 들어와서 마구 갈기갈기 찢어 놓은 걸요, 어쩔 수가 없었어요.

헬멜 그래, 애처롭게도 어쩔 수가 없었지. 당신은 우리 모두를 기뻐게 해주려고 열심이었지. 그것이 중요한 거야. 그건 어떻든 간에 가난뱅이 시절이 끝난 것은 좋은 일이오.

노라 네, 정말 멋진 일이에요.

헬멜 이제는 나도 혼자서 따분해할 필요는 없어진 거야. 당신도 소중한 눈과 길쭉하고 고운 손을 다치게 할 필요도 없고—

노라 (손뼉을 치면서) 정말 그렇군요, 여보, 그럴 필요가 이제는 없어진 거군요! 아, 얼마나 멋진지 모르겠어요. 어쩜 이렇게 기분이 좋죠! (남편의 팔을 잡는다) 그럼 이제부터 어떤 생활을 하면 좋을지 제 생각을 말할게요. 크리스마스가 끝나거든 곧 말이죠……. (현관에서 초인종 소리가 들린다) 어머 초인종이 울리네요. (잠시 방 안에서 귀를 기울인다) 누가 온 게 분명해요, 하필이면 이런 때 올 게 뭐람!

헬멜 손님이 온 거라면, 나는 없는 것으로 되어 있으니까, 그걸 잊어서는 안 되오.

하녀 (출입 문 옆에서) 마님, 낯선 부인이신데요—

노라 들어오시라고 해.

하녀 (헬멜에게) 그리고 의사 선생님도 오셨습니다.

헬멜 내 방으로 들어가시게 했나?

하녀 네, 그리로 들어가셨습니다.

헬멜은 자기 방으로 간다. 하녀는 린데 부인을 방으로 안내하고 이어서 등 뒤의 문을 닫는다. 린데 부인은 여행에서 돌아오는 차림새다.

린데 부인 (약간 주저하면서) 안녕하세요.

노라 (누군지 모르는 듯한 태도) 안녕하세요.

린데 부인 제가 누군지 생각나지 않는 모양이군요.

노라 네, 저는…… 그래요, 그러고 보니까 (갑자기 놀라는 태도) 어머나! 크리스티네, 정말 당신이에요?

린데 부인 네, 그렇다니까요.

노라 크리스티네! 당신을 몰라보다니! 어째서 생각이 나지 않았을까— (좀 더 낮은 소리로) 참 많이 변했어요, 크리스티네!

린데 부인 네, 변했어요. 9년…… 10년이란 긴 세월이죠.

노라 우리가 헤어진 게 그렇게 되나요? 참 그렇군요. 지난 8년 동안 저는 행복했었죠. 그런데 이제는 당신까지 이곳에 왔지 뭐예요? 한겨울에 이렇게 멀리까지 오시다니 정말 대단해요.

린데 부인 오늘 아침 증기선을 타고 도착했어요.

노라 크리스마스를 즐기려고 시간 맞춰서 온 셈이군요. 오, 얼마나 기쁜지 모르겠어요! 우리 멋진 시간을 보내기로 해요. 그래요, 외투는 벗어요, 그렇게 춥지 않다면 말이죠. (그녀를 부축해준다) 자아 저기 앉아요. 난로 곁에 앉으면 아주 기분이 좋을 거예요. 아니, 그 팔걸이의자에 앉아요! 나는 이 흔들의자에 앉을 테니까요. (그녀의 손을 잡는다) 예, 이제 겨우 옛날 얼굴로 돌아왔군요. 처음에 보았을 때는—. 하지만 전보다 좀 얼굴이 핼쑥해진 것 같군요, 크리스티네— 그리고 약간 여윈 것 같기도 하고.

린데 부인 그리고 많이 늙었죠, 노라.

노라 아마 조금은 늙었겠죠. 하지만…… 조금이에요— 많이 늙지는 않았다니까요. (갑자기 이야기를 멈춘다) 아이 참 내 정신 좀봐. 남의 생각은 하지 않고 수다만 늘어놓았군요! 크리스티네, 용서해줘요.

린데 부인 왜 그래요, 노라?

노라 불쌍한 크리스티네, 당신 과부가 되었다면서요.

린데 부인 그래요, 3년 전에.

노라 나도 알고 있었어요. 신문에서 읽었거든요. 아, 크리스티네, 몇 번이나 편지를 보내려고 했었어요, 정말이에요. 하지만 언제나 미루곤 했죠, 언제나 그럴 사정이 생겨서.

린데 부인 노라, 괜찮다니까요.

노라 아아뇨, 내가 너무 무심했어요. 불쌍해라, 고생이 많았죠. 주인어른은 아무 유산도 남기지 않았나요?

린데 부인 네, 그래요.

노라 아이들은?

린데 부인 없어요.

노라 그럼 전혀 아무것도 없군요.

린데 부인 슬픔과 걱정의 씨앗조차 없답니다.

노라 (믿을 수 없다는 표정으로 그녀를 본다) 하지만 크리스티네, 그런 일이 있을 수 있을까요?

린데 부인 (서글픈 웃음을 지으며 노라의 머리를 매만진다) 네, 때로는 그런 일도 있는 거예요, 노라.

노라 완전한 외톨박이. 얼마나 외로울까. 나에게는 귀여운 아이들이 셋이나 있어요. 지금은 할멈과 함께 놀러 나가서 보여줄 수는 없지만. 하지만 지난 이야길 전부 해주어야 해요.

린데 부인 아니, 아니, 아니에요. 당신 이야기나 들려주세요.

노라 아아뇨, 당신부터. 오늘은 나 자신에 대한 이야기는 하나도 하지 않겠어요. 당신에 대해서만 생각하겠어요. 그렇군요, 하지만 하나만은 이야기해야지. 요즘 우리들에게 일어난 매우 행복한 일을 알고 있나요?

린데 부인 아아뇨, 아무것도.

노라 저어, 우리 집 주인이 신탁 은행의 전무가 되었답니다!

린데 부인 주인어른이? 어머나 정말 복이 많으세요!

노라 네, 굉장히 운이 좋은 거죠! 변호사란 생계를 꾸려 나가기에는 불안정한 직업이거든요. 특히 수상스러운 사건을 맡으려고 하지 않을 경우에는 더 그렇죠. 톨발은 물론 그럴 생각은 조금도 없고 나도 완전히 같은 생각이거든요. 아, 정말 기뻐요, 우리들은! 주인은 새해부터 은행에 나가게 되어 있어요. 굉장한 수입이에요. 이제부터는 완전히 새로운 생활을 할 수 있어요. 마음껏 살 수가 있는 거예요. 크리스티네, 난 아주 마음이 들떠 있다니까요. 그렇잖아요, 굉장히 돈이 많고 아무런 걱정도 없다는 것은 좋은 일이거든요. 안 그래요?

린데 부인 예, 어쨌든 필요한 만큼 수입이 있다는 것은 좋은 일임에 틀림이 없죠.

노라 아, 아니에요. 필요한 만큼이 아니라 굉장히 굉장히 많은 돈이라니까요!

린데 부인 (빙그레 웃으며) 노라, 노라, 당신은 여전히 철부지군요. 학창 시절에도 굉장한 낭비가였었죠.

노라 (작은 소리로 웃으며) 예, 톨발은 지금도 그렇게 말한답니다. (손가락을 세워서 위협을 한다) 하지만 말이죠, 노라는 당신네들이 생각하는 것처럼 그렇게 어리석지는 않다니까요. 낭비를 어떻게 해요? 우리들은 일하지 않으면 안 되었다구요, 둘이 다.

린데 부인 당신도?

노라 예, 뭐 대단한 것은 아니지만, 재봉이니, 뜨개질이니, 자수니 (작은 소리로 얼버무린다) 그리고 다른 일도 했다우. 우리가 결혼했을 때 톨발이 관청을 그만둔 것은 알고 있겠죠? 그의 부서에서는 승급할 가능성이 전혀 없었어요. 그러니까 관청을 그만둔 뒤로는 그때까지보다도 좀 더 돈을 벌지 않으면 안 되었어요. 첫해에는 정말 지독하게 일했죠. 손에 닿는 대로 내직(內職)이란 내직은 모두 했으니까요. 알겠죠. 일찍부터 밤늦게까지. 그런데 그게 아주 무리가 됐나봐요. 죽느냐 사느냐 하는 중병이 걸렸지 뭐겠어요. 의사 선생님들은 아무래도 남쪽으로 요양 갈 필요가 있다고 하는 거였어요.

린데 부인 아, 그래서 1년 동안 이탈리아에 가 있었던 거군요.

노라 바로 그래요. 출발하는 것은 간단한 일이 아니었어요. 이와르는 막 태어난 갓난애였고, 하지만 물론 떠나지 않을 수 없었죠.

아 멋진 여행이었어요. 덕분에 톨발은 목숨을 건졌고. 하지만 터무니없이 많은 돈을 썼지 뭐예요. 크리스티네.

린데 부인 그랬었군요.

노라 1천 2백 달러, 즉 4천 8백 크로나. 굉장한 돈이죠, 안 그래요?

린데 부인 하지만 그런 때, 그만한 돈을 갖고 있었다니 하여튼 아주 다행이었군요.

노라 그래요, 사실을 말하면, 우리는 그 돈을 아빠한테 받았어요.

린데 부인 그래요? 그러고 보니 아버님이 돌아가신 게 바로 그 무렵이군요.

노라 그래요, 바로 그 무렵이었죠. 괴로웠어요. 나는 아빠를 간병해드릴 수도 없었거든요. 게다가 중병인인 톨발의 시중도 들어야 했죠. 다정한, 다정한 아빠! 그러고는 다시는 못 만났죠. 정말, 결혼하고 나서 그 때처럼 괴로웠던 때는 없었어요, 크리스티네.

린데 부인 당신은 굉장히 아버지를 생각하는 딸이었으니까요. 하지만 그래서 어쨌든 이탈리아로 떠날 수 있었군요.

노라 네, 돈은 손에 들어왔고, 의사 선생님은 떠나지 않는다고 성화고, 그런 뒤 한 달 뒤에 출발했었죠.

린데 부인 그래, 주인어른의 건강은 완전히 전과 같이 되었나요?

노라 갓 물에서 건져 올린 생선처럼 싱싱하다니까요!

린데 부인 하지만— 의사 선생님이 오신 건?

노라 어떤 의사?

린데 부인 나와 함께 여기 오신 분이 의사 선생님이라고 하녀가 말한 것 같은데.

노라 아, 랭크 선생님 말이군요. 왕진 오신 게 아녜요. 선생님은 우리의 제일 가까운 친구예요. 매일 적어도 한 번은 오신다니까요. 정말이라니까요, 톨발은 그 뒤로는 한 번도 앓지를 않았고. 아이들도 건강하고, 그리고 나 역시 (벌떡 일어나서 손뼉을 친다) 아, 얼마나, 정말 얼마나, 크리스티네, 행복한 생활이란 멋진 거예요. 기적이지요— 어머, 난 참 너무 했군요— 내 이야기만 하고 있으니. (크리스티네 곁에 놓인 의자에 앉아서 그녀의 무릎 위에 팔을 올려놓는다) 이봐요, 언짢아하지 말아요— 그런데 당신이 주인어른을 사랑하지 않았다는 게 정말이에요? 그럼 어째서 결혼을 했죠?

린데 부인 어머니가 아직 살아 계셨지요. 자리에 누운 채 일어날 희망도 없는 환자였어요. 게다가 남동생 둘의 뒤도 보살펴주어야 했죠. 그이의 구혼을 거절할 수는 없었어요.

노라 그래요, 정말 거절할 수는 없었을 거예요. 그 무렵, 주인어른은 부자였다면서요.

린데 부인 꽤 여유가 있다고 나는 믿었어요. 하지만 그이가 하던 일이 확실한 일이 아니었기에 때문에 그이가 돌아가시자 사업도 산산조각이 나고 아무것도 남은 것이라고는 없었어요.

노라 그래서요—?

린데 부인 네, 그래서 나는 조그만 장사도 해보고 작은 학교도 경영해보고 할 수 있는 일이면 무엇이든지 다 해봤지요. 지난 3년 동안은 쉬어본 적이 한 번도 없는 것 같아요. 하지만 이젠 그것도 다 끝났다우, 노라. 불쌍하게도 어머니는 이미 저 세상에 가버리셔서 나를 필요로 하지 않고 남동생들도 직장을 갖고 독립을 하게 되었으니까요.

노라 얼마나 마음이 편하실까.

린데 부인 글쎄 그렇지가 않다니까요, 노라. 말할 수 없이 허전한 느낌이에요. 사는 보람이 없어요. (초조한 듯 일어선다) 그래서 나는 그 작은 시골 구석에 더 이상 머물러 있기 싫었어요. 이 곳에서라면 틀림없이 쉽게 찾아낼 수 있으리라고 생각한 거죠. 정신없이 일함으로써 모든 근심 걱정을 털어버릴 수 있는 그런 직장을 말이에요. 사무실에서 일할 수 있게 된다면 얼마나 다행이겠어요.

노라 하지만 크리스티네, 그건 끔찍스럽게 피곤한 일이에요. 이미 당신은 지쳐 있는데 차라리 휴양지에 가서 쉬는 게 훨씬 나을 거예요.

린데 부인 (창문 쪽으로 간다) 나에게는 여비를 줄 수 있는 아빠가 안 계신답니다, 노라.

노라 (일어선다) 미안해요.

린데 부인 (노라에게로 가까이 오며) 노라, 나야말로 미안했어요. 나같이 되면 마음이 비뚤어지게 되나봐요. 나쁜 줄 알면서도. 하지만 일할 대상도 없고 그러면서도 어디에 있어도 나 자신을 위해서라고 생각하지 않으면 안 되고 말이에요. 살기 위해서 자기만 위하게 되는 거죠. 나는 말예요. 이런 말 믿을 수 있겠어요? 당신에게 기쁜 일이 생겼다는 이야기를 들었을 때, 당신을 위해서보다 오히려 나 자신을 위해서 기뻐한 거예요.

노라 하지만…… 아, 무슨 말인지 알겠어요. 톨발이 당신에게 일자리를 마련해줄지 모른다고 생각했군요.

린데 부인 네, 그래요.

노라 오, 그이는 도와줄 거예요, 크리스티네, 나에게 맡겨만 두라니까요. 아주 교묘하게 이야기를 꺼내볼게요. 우선 그이를 아주 기분 좋게 만드는 거예요. 당신을 도울 수 있게 된다면 얼마나 좋을까!

린데 부인 노라, 정말 당신은 친절해요. 그렇게 진심으로 나를 도와주려고 하니 말이에요. 더구나 생활의 어려움을 모르는 당신이니 두 배는 더 친절한 것 같아요.

노라 내가? 생활의 어려움을 모른다고요?

린데 부인 (빙그레 웃으면서) 글쎄 그렇다니까요, 재봉 일쯤 한 것 가지고서야 어디 — 당신은 철부지 아기라니까요, 노라!

노라 (고개를 저으면서 방 안을 왔다 갔다 한다) 그렇게 혼자서 잘난 체하지 마세요!

린데 부인 뭐라고요?

노라 당신도 다른 사람들과 똑같군요. 나 따위는 아무런 쓸모도 없는 사람이라고 생각하는 게 분명해요.

린데 부인 아이 참 그럴 수가!

노라 당신은 내가 아무런 어려움도 겪지 않고 편안한 생활을 하는 줄만 알고 있는 거예요.

린데 부인 하지만 노라, 당신은 방금 당신이 겪은 어려움을 이야기했잖아요.

노라 그까짓 것은 아무것도 아네요. (목소리를 낮춘다) 정말 중요한 일은 당신한테 이야기하지 않았거든요.

린데 부인 중대한 일이라니? 그게 뭐죠?

노라 당신은 아주 나를 우습게보고 있는 것 같아요, 크리스티네. 하지만 그럴 권리는 없어요. 당신은 지난 여러 해 동안 어머니 때문에 고생한 것을 아주 자랑스럽게 생각하고 있죠, 안 그래요.

린데 부인 나는 그 누구도 우습게 생각지는 않아요. 하지만 그건 사실이에요. 내가 어머니 생애의 마지막 시기를 편하게 해드렸다고 생각하면 흐뭇하기도 하죠, 또 기쁜 것도 사실이에요.

노라 그리고 당신은 남동생들을 위해서 애쓴 일도 자랑스럽게 생각하고 있죠.

린데 부인 충분히 그렇게 생각할 만하지 않나요.

노라 동감이에요. 그러나 나도 이야기할 게 있어요, 크리스티네. 나 역시 자랑스럽게 생각할 수 있는 게 있어요.

린데 부인 그야 틀림없는 일이겠죠. 한데 그게 뭐죠?

노라 그렇게 큰 소리로 말하지 말아요. 톨발이 들으면 안 되니까요! 절대로 그이가 알아서는 안 되는 일이거든요. 그 누구도 알아서는 안 돼요— 크리스티네, 당신 말고는 아무도 알아서는 안 되는 일이라니까요.

린데 부인 그게 뭐죠?

노라 이리로 와 봐요. (그녀를 자기 곁 소파에 앉힌다) 오, 그래요. 나 역시 자랑스럽게 여길 수 있는 게 있어요. 톨발의 목숨을 구한 것은 바로 나라는 사실이죠.

린데 부인 목숨을 구하다니? 어떻게 구했다는 거죠?

노라 이탈리아로 여행갔다는 이야기를 했었죠. 우리가 그 곳에 가지 않았다면 톨발은 결코 건강을 회복하지 못했을 거예요.

린데 부인 그래요, 하지만 당신에게 필요했던 돈은 아버지가 주신 게 아니었던가요.

노라 (빙그레 웃는다) 네, 모두 그렇게 생각하고 있죠, 톨발도. 하지만…….

린데 부인 그래서요?

노라 아빠는 한 푼도 주시지 않았어요. 그건 내가 만든 돈이었어요.

린데 부인 당신이? 그 많은 돈을?

노라 1천 2백 달러, 그러니까 4천 8백 크로나죠. 그 돈을 어떻게 보죠?

린데 부인 하지만 어떻게 노라 당신이 그 돈을 마련할 수가 있었죠? 복권이라도 당첨됐단 말인가요?

노라 (불쾌하다는 듯이) 복권이라고요? (흥, 하고 콧방귀를 뀐다)

말도 되지 않는 소리에요.

린데 부인 그러면 어떻게 그 돈을 손에 넣었다는 거죠?

노라 (흥얼거리면서 묘한 웃음을 입가에 띤다) 아하! 트라랄라!

린데 부인 남에게서 빌린다는 것은 물론 안 될 테고.

노라 오? 왜 안 된다는 거죠?

린데 부인 왜냐하면 아내는 남편의 승인 없이는 돈을 빌릴 수 없다고 법에 정해져 있기 때문이죠.

노라 (흥, 하고 코웃음 치며) 아, 빌릴 수 있죠. 조금만 재치 있는 부인이라면— 재치 있는 수단을 쓸 수 있는 부인이라면, 그렇다면—

린데 부인 노라, 무슨 말인지 통 알 수가 없군요.

노라 알 필요도 없어요. 나는 돈을 빌렸다고는 말하지 않았어요. 다른 방법도 있거든요. (소파에 털썩 기대어 앉으면서) 나를 숭배하는 사람에게서 돈을 구할 수도 있지 않겠어요. 나만큼 매력이 있으면.

린데 부인 당신, 머리가 어떻게 된 거 아네요?

노라 그것 봐요, 호기심이 바싹 생기죠, 크리스티네!

린데 부인 이봐요, 노라— 당신이 한 짓은 경솔한 행동이 아니었을까요?

노라 (또다시 똑바로 앉으면서) 남편의 목숨을 구하는 게 경솔한 짓이란 말인가요?

린데 부인 경솔하다고 생각해요, 주인어른이 모르는 곳에서 돈을 구했다는 건—

노라 하지만 남편에게는 절대로 눈치 채게 할 수가 없었다구요, 하느님 맙소사, 내 말 못 알아들으시겠어요. 자신의 병이 얼마나 위중하다는 사실을 조금도 모르고 있었다구요, 톨발은. 의사 선생님들은 나에게만 가르쳐주셨지요. 그의 목숨이 위험하다고…… 그이의 목숨을 구하는 유일한 방법은 남쪽으로 요양을 가는 것이라고요. 그래서 내가 먼저 그이에게 졸랐죠. 나는 다른 젊은 부인들처럼, 외국으로 여행한다면 얼마나 즐거울까 하고 이야기를 했던 거예요. 울어도 보았고 애처로운 목소리로 하소연도 해보았답니다. 내 처지가 어떻다는 것도 생각해 달라고, 내가 말하는 것을 다정하게 들어 달라고 애원도 해보았답니다. 그리고 돈을 빌리면 되지 않느냐는 암시도 주어보았고. 그랬더니 남편은 화를 벌컥 내더군요. 나는 분별이 없으니 내 응석을 받아주지 않는 게 남편으로서의 의무라는 것이었어요. 응석이라고 그이가 말했던 거예요. 좋아요, 하고 나는 생각했어요. 지금은 당신의 목숨을 구하지 않으면 안 된다, 그래서 나는 방법을 찾아냈지요.

린데 부인 하지만 아버님은, 그 돈이 자신이 준 게 아니라고 주인 어른에게 알려주지 않으셨던가요?

노라 아아뇨, 전혀. 왜냐하면 아빠는 그 무렵 돌아가셨거든요. 나는 아빠에게 털어놓고 이야기해서 톨발에게는 모르게 하도록 부탁을 하려고 했지만, 아빠는 병환이 위중하셔서— 유감스럽게도 그럴 필요도 없었죠.

린데 부인 그래서 당신은 남편에게 그 이야기를 한 번도 하지 않았단 말인가요?

노라 그야 당연하죠. 어떻게 그런 이야길 해요? 톨발은 이런 일에 대해서는 아주 까다롭답니다! 게다가— 남자의 자존심이라는 게 있잖아요— 나에게 신세를 지고 있다는 것을 알게 되면 몹시 비참하게 느낄 거예요. 그 때문에 우리들 사이가 멀어질지도 몰라요. 우리들의 행복한 가정이 더 이상 지금 같지 않게 될지도 모르잖아요.

린데 부인 절대로 이야기하지 않을 생각인가요?

노라 (생각하고, 빙긋이 웃으면서) 이야기할 거예요— 아마 언젠가— 나이를 먹어서 내가 지금처럼 예쁘지 않게 되거든, 웃지 마세요! 물론 톨발이 지금처럼 나를 좋아하지 않게 되었을 때를 두고 하는 말이에요. 내가 춤을 추어도, 연극 흉내를 내도 지금처럼 재미있어 하지 않게 되거든 그때는 무엇인가 깜짝 놀랄 이야기를 해주는 게 좋을지도 모른다는 거죠. (갑자기 이야기를 중단한다) 하지만 그건 말도 안 되는 소리에요— 그런 일은 절대로 없을 테니까요. 그런 그렇고, 크리스티네, 나의 커다란 비밀에 대해서 당신은 어떻게 생각하세요, 네? 아직도 내가 쓸모없다고 생각하시나요? 아시겠지요, 나에게는 이것이 보통 걱정거리가 아니었단 말이에요. 변제 의무를 기한 대로 지켜나간다는 것은 쉬운 일이 아니죠. 당신에게는 가르쳐 드리죠. 이것은 말예요, 장사꾼의 세계에서는 철마다 빚을 갚는다고 하는 거죠, 분할 지불이라고도 하고요. 돈을 만드는 것은 언제나 굉장히 어려운 일이었죠. 나는 여기저기에서 깎아낼 수도 없는 일이었죠. 왜냐하면 톨발은 분수에 맞게 살아야만 했고, 아이들에게 누더기를 입힐 수도 없는 일이었으니까요. 아이들을 위해 받은 돈은 모두 그 애들을 위해 써야 한다고 생각했죠. 귀엽고 소중한 아이들이니까요.

린데 부인 그래서 결국 당신은 자신에게 필요한 비용에서 염출을 했군요. 노라, 정말 딱하네요.

노라 그야 말할 것도 없는 일이죠. 어차피 내가 저지른 일이니까요. 그래서 톨발이 나에게 새 옷이니 그 밖의 것을 마련하라고 돈을 주었을 때도 반 이상 써본 일이 없답니다. 언제나 제일 싸구려 좋지 않은 것만 사곤 했죠. 다행하게도 어떤 옷이나 나에게 잘 어울렸기 때문에 톨발은 눈치를 채지 못했지만, 오, 크리스티네, 그건 결코 쉬운 일은 아니었어요. 아름답게 차려 입는다는 것은 얼마나 좋은 일인지 몰라요, 안 그래요, 네?

린데 부인 그야 물론이죠.

노라 그리고 그 밖에도 수입을 올리는 길이 있었죠. 작년 겨울에는 운이 좋아서 말이에요. 원고 정서하는 일이 많았었죠. 방 안에 들어앉아서 매일 밤늦게까지 앉아서 쓰곤 했답니다. 몇 번이나 현기증을 일으키곤 했죠. 하지만 그렇게 해서 돈을 번다는 것은 아주 재미있는 일이었어요. 마치 남자가 된 것 같은 기분이었으니까요.

린데 부인 그래 얼마나 빚을 갚을 수 있었나요?

노라 글쎄 나도 얼마를 갚았는지 정확하게는 모른다니까요. 당신도 알다시피 이런 일에서는 정확하게 수입을 계산한다는 것은 아주 어려운 일이거든요. 내가 알고 있는 사실이란, 내가 긁어모을 수 있었던 돈은 전부 빚을 갚는 데 썼다는 거예요. 자주 어떻게 했으면 좋을지 모르게 되는 경우가 많았었죠. (빙그레 웃으면서) 그럴 때면 나는 이 자리에 앉아서 돈 많은 늙은 신사가 나를 사랑하게 되는 공상에 잠기곤 했답니다.

린데 부인 어머나? 그게 누구죠?

노라 잠깐만— 그리하여 그는 죽었다, 유언장을 가족들이 펼쳐보니까 그 곳에는 커다란 글씨로 이렇게 씌어 있다. — 내 재산의 전부는 곧 사랑스러운 노라 헬멜 부인에게 현금으로 양도할 것.

린데 부인 이봐요, 노라, 그분이 누구죠?

노라 아이 참, 하느님 맙소사! 당신 무슨 뜻인지 모르겠어요. 나이 많은 신사는 물론 존재하지 않아요. 다만 돈을 만들 방법이 생각나지 않을 때면 여기에 앉아서 자꾸만 되풀이하여 멋대로 그렇게 상상했던 것뿐이라니까요. 하지만 이제는 그것도 끝장이 났어요. 나이 먹은 따분한 사나이에 대해서는 더 이상 생각하지 않아도 좋게 된 거예요. 그 사람에 대한 공상, 유언장은 이제는 안녕이에요. 내 걱정은 사라져 버렸으니까요. (발딱 일어선다) 아, 멋지지 뭐예요, 크리스티네, 한 번 생각해보라구요! 더 이상 걱정할 게 없다는 것! 이제 더 이상 걱정은 전혀 하지 않아도 좋게 되었다는 것! 애들과 놀고 장난치고 할 수도 있게 되었다는 것, 집안을 남편 취미대로 깨끗하고 고상하게 꾸밀 수도 있게 된 거예요. 게다가 말이죠, 이제 곧 봄이 찾아온단 말이에요. 새파랗게 갠 하늘. 그날이 오면 우리들은 아마 어디로 여행을 가겠죠. 어쩌면 바다 구경을 다시 하게 될지도 모르죠. 살아 있다는 것, 행복하다는 것이 얼마나 멋진 일이냐 말이에요!

현관에서 초인종 소리가 울린다.

린데 부인 (일어선다) 현관에 누가 오셨나 봐요— 나는 돌아가는 게 좋을 것 같군요.

노라 아니에요. 그냥 계세요. 톨발을 찾아온 손님일 거예요. 여기로는 아무도 들어오지 않는다니까요.

하녀 (현관 문 옆에서) 죄송합니다. 마님— 변호사 어른과 이야기하고 싶으시다는 손님이 찾아오셨는데요.

노라 은행의 전무님을 만나러 오신 것이겠지.

하녀 네, 은행 전무님과. 하지만 어떻게 하면 좋죠? 지금 의사선생님과 같이 계신데.

노라 손님이 누구시지?

변호사 크로그스타, (현관 안으로 들어서면서) 저올시다, 헬멜 부인.

린데 부인, 소스라치게 놀란다. 정신을 차려 창문 쪽으로 몸을 돌린다.

노라 (그를 향해 한 발자국 다가서며 긴장된 낮은 목소리로) 당신이군요? 왜 그러시죠? 어째서 남편을 만나고 싶어 하시는 거죠.

크로그스타 말하자면 은행 일 때문이죠. 저는 신탁 은행에서 조그마한 자리를 차지하고 있답니다. 그런데 듣자 하니, 부인. 주인어른께서 이번에 우리 은행의 새 전무님이 되셨다고, 단지 그 때문에—

노라 그럼 단지 그 때문에—

크로그스타 단지 따분한 사무적인 일 때문에 찾아온 것입니다. 헬멜 부인. 그 밖에 다른 일은 아무것도 없답니다.

노라 알겠어요. 서재로 들어가면 만나실 수 있을 거예요.

퉁명스럽게 인사를 하고, 노라는 현관을 향한 문을 닫고 이쪽을 향해 벽난로 쪽을 본다.

린데 부인 노라— 그 사람은 누구죠?

노라 그 사람은 크로그스타라는 변호사예요.

린데 부인 그럼 틀림없이 그 사람이로구나.

노라 그 사람을 아세요?

렌데 부인 네, 알고 있죠— 벌써 여러 해 전 이야기지만, 그 사람은 한때 우리 고장의 법률 사무소에 근무했었답니다.

노라 알았어요, 그랬었군요.

린데 부인 참 많이도 변했네요!

노라 저분은 매우 불행한 결혼 생활을 했다나 봐요.

린데 부인 그리고 지금은 홀아비죠?

노라 아이들이 주렁주렁 매달린 상태로 말이죠. 아 이제야 불이 붙었구나.

그녀는 난로의 문을 닫고 흔들의자를 한 옆으로 치운다

린데 부인 사람들 이야기로는 안 해본 일이 없다더군요.

노라 정말 그랬을까요? 하기야 그들 말이 옳을지도 모르죠. 나는 거기에 대해서는 아무것도 모르지만— 하지만 사업 이야기는 그만둡시다. 따분하기 짝이 없으니까요.

랭크 박사가 헬멜 방에서 들어온다.

랭크 (아직 문 입구에서) 아닐세 아니야. 자네 일을 방해하고 싶지는 않네. 나는 그보다는 부인을 잠시 만났으면 하네. (문을 닫으면서 린데 부인을 본다) 아, 실례합니다. 여기서도 역시 방해가 되겠네요.

노라 천만의 말씀. (그들을 인사시킨다) 이분은 닥터 랭크, 린데 부인입니다.

랭크 아, 이 댁에서 여러 번 자주 들은 이름입니다. 분명히 계단 있는 데서 제가 앞질러 들어온 부인이시군요.

린데 부인 네, 저는 천천히 올라오기 때문에 계단을 오르는 게 좋지 않답니다.

랭크 아, 몸이 어디가 좀 아프신가 보죠.

린데 부인 사실은 과로 때문인 것 같아요.

랭크 그뿐이세요? 그러니까 이곳에 휴양차 오신 것이군요— 여기저기 파티에도 참석하고 말씀이에요.

린데 부인 저는 일자리를 구하러 온 것이랍니다.

랭크 그것이 과로에 효과 있는 처방이 될 수 있을까요?

린데 부인 박사님, 사람은 살아가야만 하지 않습니까.

랭크 그야 사람은 꼭 살아야 한다는 게 일반적인 생각이긴 하더군요.

린데 부인 이보세요, 랭크 선생님, 당신 역시 틀림없이 살고 싶으실 텐데요.

랭크 그야 물론이죠. 아무리 괴롭더라도 죽는 것보다야 그 괴로움을 견디는 편이 훨씬 좋지요. 제 환자도 모두 그렇습니다. 그것은 또한 도덕상의 병을 앓고 있을 경우에도 마찬가지입니다. 지금도 바로 헬멜 씨 방에 일종의 도덕병 환자가 있습니다만—

린데 부인 (낮은 소리로) 아!

노라 누구 말씀을 하시는 거죠?

랭크 오, 아마 부인은 모르시기가 쉬울 겁니다, 변호사인 크로그스타라는 사나이를. 그는 속까지 썩은 사람입니다. 하지만 그런 사람조차도 뭐 대단한 일인 것처럼 자기는 살아야만 한다는 이야기부터 합니다그려.

노라 오, 그 사람은 톨발을 무엇 때문에 만나러 온 거죠?

랭크 잘은 모르겠습니다만, 무엇인가 은행에 대한 이야기인가 보더군요.

노라 저는 몰랐어요. 크로그— 저 변호사인 크로그스타가 은행에 관계하고 있는 줄은.

랭크 네, 그는 은행에서 일하고 있습니다. (린데 부인에게) 어떻습니까, 당신 사시는 고장에는 그런 사람들이 있습니까? 여기저기 뛰어다녀서 도덕적으로 결함이 있는 것을 찾아내면 곧 그것을 무엇인가 좋은 지위와 바꾸려고 든단 말씀입니다. 그런 성가신 친구들 말씀입니다. 덕분에 정직한 사람은 추운 곳에서 혼자 남겨져 떨게 되는 거죠.

린데 부인 글쎄요, 병든 이는 돌봐 줄 필요가 있지 않을까요?

랭크 (두 어깨를 움찔해 보인다) 바로 당신과 같은 그런 생각이 사회를 병원으로 만들어 버리고 마는 것입니다.

노라 (혼자 생각에 잠겨 있다가 갑자기 조용히 웃기 시작하면서 손뼉을 친다.)

랭크 왜 내 이야기를 듣고 웃으시죠? 사회라는 곳이 어떤 곳인지 정말 알고 계신가요.

노라 따분한 사회야 아무러면 어떻습니까. 제가 웃는 것은 말씀이에요, 전혀 다른 일 때문이에요— 아주 터무니없이 유쾌한 일이죠— 이봐요, 랭크 선생님— 은행에서 일하는 사람들은 모두가 이제부터 톨발의 부하가 되는 게 아닌가요?

랭크 그것이 그처럼 터무니없이 유쾌한 일이란 말씀인가요?

노라 (빙그레 웃고 콧노래를 부르며) 좋아요, 좋아요, 상관하실 것 없대두요! (방 안을 이리저리 거닌다) 아, 재미있다! 정말 재미있다! 우리들이— 톨발이 그처럼 많은 사람들을 간단히 좌우할 수 있는 힘이 있다니 (주머니에서 과자 봉지를 꺼낸다) 랭크 선생, 마카론 하나 드시지 않겠어요?

랭크 마카론이라고요? 아니 이래도 되나요? 여기서는 그것은 먹지 못하게 되어 있을 텐데요.

노라 그래요. 하지만 이것은 크리스티네가 준 것이거든요.

린데 부인 뭐라고 하는 거죠, 그걸 내가 주었다니요?

노라 아니, 아니에요. 그렇게 소스라치게 놀랄 건 없어요. 당신은 물론 톨발이 이것을 먹는 것을 금하고 있다는 사실을 알 까닭이 없으니까요. 저 말이에요, 그이는 내가 마카론 때문에 충치가 생길까 봐 걱정하고 있는 거예요. 하지만 이번 한 번만 먹는 거야! 그렇지 않아요, 랭크 선생? 자아 하나 드세요! (그의 입에다 마카론을 집어넣는다) 그리고 당신도 크리스티네, 그리고 나도 하나 먹어야겠군요. 작은 것을 하나만— 아니면 두 개쯤이야 (다시 방 안을 왔다 갔다 하기 시작한다) 아, 나는 아주 행복해요. 하지만 꼭 하나 지금 해보고 싶은 게 있어요.

랭크 그래요, 그게 뭐죠?

노라 나는 말에요, 톨발에게 어떤 말 한마디를 하고 싶어 못 견디겠어요.

랭크 그렇다면 왜 그 이야기를 할 수 없는 거죠?

노라 안 돼요, 말할 수 없어요. 더러운 욕인 걸요.

린데 부인 더럽다고요?

랭크 아, 그렇다면 안 되지. 하지만 우리들에게라면 상관없지 않아요. 뭡니까, 당신이 남편에게 하고 싶어서 못 견디겠다는 말은?

노라 내가 말하고 싶은 것은요, 이 자식아.

랭크 머리가 어떻게 된 게 아니에요.

린데 부인 아니 그게 무슨 짓이에요, 노라!

랭크 자아, 여기 나타나시는군요. 한 번 더 해보시오.

노라 (마카론 봉지를 감추면서) 쉬! 쉬!

헬멜이 코트를 한쪽 팔에 걸치고 모자를 손에 들고 방에서 나온다.

노라 (남편 곁으로 다가선다) 아니 여보, 벌써 손님은 보내셨나요?

헬멜 그렇다오, 방금 돌아갔다오.

노라 소개하지요— 이분은 크리스티네, 우리 고장에 오신 거예요.

헬멜 크리스티네라고요? 죄송합니다. 얼른 생각이 나지 않는군요.

노라 린데 부인이세요, 톨발. 크리스티네 린데 부인.

헬멜 오, 그렇군요. 제 아내와 어릴 적 소꿉동무가 틀림없으시죠, 네?

린데 부인 그래요. 우리는 옛날 친구랍니다.

노라 그러니까 이걸 생각해보세요. 이분은 당신을 만나기 위해서 먼 길을 여기까지 찾아오신 거라니까요!

헬멜 나를 만나러 오시다니요?

노라 크리스티네는 놀라울 정도로 사무 처리에 재능이 있는 분이에요. 그래서 누군가 훌륭한 사람의 지도를 받아서, 지금까지 습득한 것보다 좀 더 많은 것을 배우고 싶다는 강한 소망을 가지고 계시답니다.

헬멜 린데 부인, 그것 참 아주 현명한 생각이십니다.

노라 그래서 크리스티네는 당신이 은행 전무님이 되셨다는 소식을 듣고— 신문의 전보란에 실렸다는군요— 그래서 부랴부랴 이곳으로 좇아왔다는 거예요. 그러니까 여보, 톨발. 이이를 위해서 무언가 도와줄 수 있으시겠죠, 안 그래요? 나를 기쁘게 해주기 위해서라도 말이에요.

헬멜 글쎄요, 그거야 불가능한 일은 아니죠…… 제가 보기에 홀몸이신 것 같은데, 린데 부인?

린데 부인 그렇습니다.

헬멜 그러면 장사에 대한 경험도 있으시겠군요?

린데 부인 네, 어느 정도 경험이 있다고 할 수 있지요.

헬멜 그렇다면 아마도 당신에게 일자리를 하나 마련해 드릴 수 있을 것 같습니다.

노라 (손뼉을 친다) 거봐요, 뭐라고 그랬어요, 내가—

헬멜 꼭 알맞은 시간에 찾아오셨습니다, 린데 부인……

린데 부인 뭐라고 감사의 말씀을 드려야 할지 모르겠군요.

헬멜 아니 뭐 그렇게 고마워하실 것은 없어요. (외투를 몸에 걸치면서) 그럼 이제 실례 좀 해야겠습니다.

랭크 잠깐만, 나도 자네와 함께 나가겠네. (그는 홀에 들어가 털외투를 갖다가 난로에 쪼인다)

노라 여보, 톨발, 너무 늦지 마세요, 네!

헬멜 한 시간 이상 걸리지 않을 거요.

노라 당신도 나갈 거예요, 크리스티네?

린데 부인 (외투를 입는다) 네, 나가서 살 방을 찾아야겠어요.

헬멜 그러시다면 저 큰길가까지 함께 가실까요?

노라 (그녀가 외투 입는 것을 거들어준다) 우리 집이 너무 좁아서 정말 짜증이 나는군요. 하지만 어쩔 수 없는 일이죠.

린데 부인 원 별 걱정을 다 하네요. 잘 있어요, 노라. 여러 가지로 고마웠어요.

노라 그럼 잘 가요— 오늘 밤에 또 오겠죠. 그리고 랭크 선생도요. 뭐라고요? 기분이 좋으면 오시겠다고요? 그야 물론 기분이 좋으실 거예요. 몸을 따뜻하게 하세요.

사람들은 이야기하면서 현관으로 향한다. 바깥 계단에서 어린이들의 목소리가 들려온다.

노라 애들이 왔구나, 애들이 왔어! (그녀가 달려가 문을 연다. 유모인 안나 마리아가 아이들과 함께 들어온다.) 들어들 와요, 들어들 와! (몸을 굽혀 그들에게 키스한다) 오, 얼마나 귀여운 꼬마들이냐고요! 저 애들을 보세요, 크리스티네. 귀엽지 않아요?

랭크 바람 부는 곳에 서서 떠들면 안 됩니다.

헬멜 자아 갑시다. 린데 부인. 이렇게 되면 여기에는 어머니 말고 다른 사람들은 있어서는 안 되겠어요.

랭크, 헬멜, 린데 부인은 층계를 걸어 내려간다. 유모가 어린이들과 함께 방으로 들어온다. 노라도 따라서 현관으로 통하는 문을 닫는다.

노라 너희들, 건강해 보여서 참 좋구나! 뺨이 어쩌면 그렇게 붉으냐! 사과나 장미꽃 같구나! (이하 대사(台詞)를 말하는 동안 애들은 동시에 그녀에게 말을 건다) 그래 재미있게 놀았니? 그것 참 좋았구나. 그래서 너는 엠미와 보브를 네 썰매 위에 태우고 끌었다고? 둘 다 함께 말이지? 야, 그것 참 멋있었겠다! 이봐, 너는 참 큰 아이로구나! 오, 잠깐만 우리의 귀여운 꼬마 아가씨 난니를 안게 해줘요, 나의 귀여운 꼬마 인형을! (막내 아이를 유모 손에서 받아 안고 함께 춤을 춘다) 그래요, 그래. 엄마는 보브하고도 춤출 거예요! 뭐라고? 눈싸움을 했다고? 어머나, 엄마도 함께 갔더라면 좋았을 걸 그랬구나! 아니 아니, 내가 옷을 갈아입히겠어요, 안나 마리아. 자아 나에게 맡기라고요. 아주 재미있거든요. 몸이 아주 꽁꽁 언 것 같은데— 옆방 스토브 위에 뜨거운 커피가 있어요.

유모는 옆방으로 사라진다. 노라는 애들의 외투를 벗겨서 근처에 집어던진다. 아이들은 동시에 이야기를 걸어온다.

노라 어머 그랬어? 커다란 개가? 뒤를 쫓아왔다고? 하지만 물지는 않았다는 말이로구나. 그야 그렇지, 개는 작고 귀여운 우리 꼬마들을 물지는 않아요. 그걸 보면 안 돼요, 이와르! 무엇이 들어 있느냐고? 응 가르쳐 달라고? 안 돼, 안 돼. 무서운 거예요. 응? 놀자고? 무엇을 하고 놀까? 숨바꼭질. 그럼 숨바꼭질하고 놀자꾸나. 보브가 먼저 숨어야 한다. 엄마가? 그래 좋아. 엄마가 먼저 숨기로 하지.

그녀와 아이들은 웃고 떠들면서 방 안에서 논다. 그러다가 위쪽 방으로 옮겨 간다. 이윽고 노라는 테이블 밑에 숨는다. 아이들이 와! 들어와 찾으나 보이지 않는다. 노라가 킬킬거리고 웃는 소리를 듣고 테이블로 향한다. 그리고 덮개를 젖혀 그녀를 찾아낸다. 야단들이다. 그녀는 기어 나와서 애들을 위협한다. 또다시 방 안이 떠들썩하게 시끄러워진다. 그

동안, 입구의 문을 노크하는 소리. 아무도 눈치 채지 못한다. 문이 반쯤 열리고 변호사 크로그스타의 모습이 나타난다. 그는 한동안 기다리고 있다. 놀이는 계속된다.

크로그스타 여보십시오, 헬멜 부인……

노라 (깜짝 놀라 소리를 지르며 돌아다보고는 벌떡 일어선다) 오, 왜 그러시죠?

크로그스타 죄송합니다. 바깥 문이 열려 있더군요. 누군가가 닫는 것을 잊은 게 분명합니다.

노라 (일어선다) 주인은 집에 안 계신데요, 크로그스타 씨.

크로그스타 네, 알고 있습니다.

노라 그러시다면…… 여기 무슨 일로 오셨지요?

크로그스타 부인과 이야기를 좀 나누었으면 해서요.

노라 나하고요? (아이들에게 작은 목소리로) 아줌마한테 가 있거라, 아니야, 낯선 아저씨라도 엄마를 아프게 하지는 않아요. 아저씨가 돌아가시거든 다시 놀자꾸나. (그녀는 아이들을 왼쪽 방으로 들어가게 하고 문을 닫는다. 이윽고 불안에 찬 긴장된 표정을 짓는다) 저를 만나러 오셨다고요?

크로그스타 네, 그렇습니다.

노라 오늘인가요? 아직 월초가 아닌데요?

크로그스타 네, 오늘 밤은 크리스마스 이브지요. 이번 크리스마스가 즐거운 크리스마스가 되느냐 안 되느냐는 오로지 부인 하시기에 달린 것입니다.

노라 어째서 저하고 이야기를 하고 싶어 하시는 거죠? 저는 오늘 도저히……

크로그스타 그 이야기는 나중에 하십시다. 이건 좀 다른 문제입니다. 조금 시간을 내주실 수 있으시죠?

노라 그럼 좋아요, 시간을 내드릴 수 있어요, 그러나―.

크로그스타 좋습니다. 저는 올센의 식당에 앉아서 댁의 주인이 큰 거리를 지나가는 것을 보았습니다.

노라 그래서요?

크로그스타 한 부인과 함께 말씀입니다.

노라 그게 무슨 말씀이시죠?

크로그스타 솔직하게 터놓고 물어보겠습니다만 그분은 린데 부인이 아니던가요?

노라 그렇습니다.

크로그스타 그이는 방금 이 고장에 도착한 게 아닌가요?

노라 그래요, 오늘 도착했어요.

크로그스타 그이는 부인의 아주 가까운 친구신가요?

노라 그래요, 가까운 친구지요. 하지만 무슨 뜻으로 그런 이야기를 하시는 거죠?

크로그스타 저 역시 그이를 전에 안 일이 있답니다.

노라 네, 저도 그런 줄 알고 있습니다.

크로그스타 그렇습니까? 벌써 알고 계신 줄 알았습니다. 좋습니다.

그럼 솔직하게 물어볼 수 있겠군요. 린데 부인이 은행에서 일하게 되는 것인가요?

노라 크로그스타 씨, 저의 주인의 부하이면서 어찌 감히 그런 이야기를 저에게 물어보시는 거죠. 하지만 물어보시니 가르쳐 드리죠. 네, 린데 부인은 일자리를 갖게 됩니다. 더욱이 그것을 결정하게 만든 것은 저였습니다. 크로그스타 씨 아시겠어요?

크로그스타 그렇군요, 제가 짐작했던 그대로군요.

노라 (방 안을 왔다 갔다 한다) 사람이란 누구나 약간의 영향력은 갖고 있는 것 같군요. 그것이 여자라면— 부하로서 일하는, 입장에 있다면 비위를, 맞추어 둘 필요가 있는 것은 누군지 아실 만도 한데— 글쎄요.

크로그스타 영향력 있는 사람의 비위를 건드리지 말라 그 뜻인가요?

노라 바로 맞았어요.

크로그스타 (어조를 바꾼다) 헬멜 부인…… 제발 부탁입니다만, 당신의 영향력을 저를 위해서 써주시지 않으시겠습니까?

노라 어떻게 하라는 거죠? 그게 무슨 뜻이죠?

크로그스타 제가 은행에서 주인어른의 부하 자리를 계속 유지할 수 있도록 도와 달라는 말씀입니다.

노라 그게 무슨 뜻이죠? 누가 당신의 직업을 뺏으려고 생각이라도 하고 있단 말씀인가요?

크로그스타 오, 제 앞에서 아무것도 모르는 것처럼 시치미를 떼실 필요는 없습니다. 당신의 친구 분이 저와 나란히 의좋게 일할 까닭이 없다는 것은, 잘 알고 있습니다. 게다가 이제는 나를 쫓아내게 한 것을 누구에게 감사드려야 할지도 알게 되었습니다.

노라 하지만 마음을 놓으시는 게—

크로그스타 네, 물론, 물론이지요. 분명히 말해서 아직 여유는 있습니다. 부인 영향력으로 저를 쫓아내는 것을 중지시켜 주도록 충고 드립니다.

노라 하지만 크로그스타 씨, 저는 영향력이라고는 하나도 없는 걸요.

크로그스타 그렇습니까? 방금 부인 자신의 입으로 그렇게 말씀하신 것으로 아는데요—

노라 물론 그것은 그런 뜻으로 이야기한 게 아닙니다. 그런 종류의 일에 대하여 제가 남편에게 영향력을 행사할 수 있다고 어떻게 그런 생각을 하셨죠?

크로그스타 글쎄올시다, 저는 주인어른을 학생 시절부터 알고 있는 사람입니다. 우리의 고귀한 은행 전무님께서 다른 남자들보다 더 고집불통이라고는 생각되지 않는데요.

노라 제 남편을 멸시하는 말을 하시려거든 당장 문으로 나가 주세요.

크로그스타 부인은 마음이 참 모질군요!

노라 이제 더 이상 당신 따위는 무섭지 않습니다. 정월이 지나면 모든 것을 깨끗하게 청산하겠습니다.

크로그스타 (마음을 억지로 가라앉히며) 헬멜 부인, 잘 들으십시오. 만일 필요하다면 저는 은행의 작은 자리를 지키기 위해서 목숨을 걸고 싸울 겁니다.

노라 정말 그러실 것 같군요.

크로그스타 돈 때문에만 그러는 게 아닙니다— 수입은 오히려 문제가 아닙니다. 다른 문제가— 이야기해 버리죠. 이렇습니다. 물론 부인도 알고 계시겠지만— 누구나 다 알고 있으니까요— 저는 몇 년 전에 말썽을 일으킨 일이 있습니다.

노라 그런 종류의 이야기를 들은 것도 같군요.

크로그스타 법정에까지 문제가 번지지는 않았습니다. 그러나 그 일이 있고 나서 저에게는 모든 길이 막혀버리고 말았습니다. 그래서 아시다시피 장사를 시작했었죠. 무엇이건 하지 않을 수 없었으니까요. 또 말씀드린다면 저보다도 더 나쁜 녀석도 있는 게 사실입니다. 그러나 지금의 저는 그런 종류의 일에서 깨끗이 발을 빼고 싶단 말입니다. 아들들은 자랐습니다. 아들들을 위해서 이 고장에서 다시 존경받을 수 있는 사람이 되어야만 하는 것입니다. 은행 일은 저에게는 이를테면 사다리의 첫 계단이라고 할 수 있지요. 그런데 지금 댁의 주인은 저를 사다리에서 발로 쳐 떨어뜨려서 또다시 진흙 구덩이 속에 빠뜨리려 하는 것입니다.

노라 하지만 정직하게 말씀드려서 크로그스타 씨, 저에게는 당신을 도울 힘이 전혀 없어요.

크로그스타 도와줄 마음이 없기 때문입니다. 그러나 나는 당신을 움직일 수 있는 방법을 알고 있습니다.

노라 설마 당신에게 돈을 빌린 사실을 주인에게 고자질할 생각은 아니실 테죠?

크로그스타 아! 만일 그런다면?

노라 고자질은 철면피한 짓이에요. (눈물을 글썽거리며 목소리가 떨린다) 나는 나 혼자만이 간직한 비밀을 자랑스럽게 생각해 왔었어요. 그것이 이런 치사스럽고 비겁한 방법으로 알려지다니 — 당신 입에서 폭로가 되다니. 그건 몹시 불쾌한 일이에요.

크로그스타 단지 불쾌한 것뿐인가요?

노라 (강한 어조로) 좋아요, 그럼 — 그이에게 이야기를 하세요. 그러나 그 결과 제일 혼나는 것은 당신이 될 거예요. 왜냐하면 그렇게 되면 주인은 당신이 얼마나 나쁜 인간인지 확실히 알게 될 테니까요. 그렇게 되면 당신은 틀림없이 은행에서 쫓겨나게 될 거예요.

크로그스타 당신이 두려워하고 있는 게 단지 가정적으로 불쾌한 경험을 하게 되는 것뿐인가, 나는 물어본 것입니다.

노라 주인어른이 이 사실을 알게 되면 물론 곧 나머지 돈을 지불하여 당신과는 아무런 관계도 없게 될 거예요.

크로그스타 (한 걸음 다가서며) 이봐요, 부인 — 당신은 기억력이 나쁜 편이거나 아니면 장사에 대해서 잘 모르거나 둘 중 하나로군요. 이 문제에 대하여 좀 더 자세히 가르쳐 드리죠.

노라 당신 말고는 아무도 아는 사람이 없었기 때문이었어요.

크로그스타 저는 돈을 마련해주겠다는 약속을 했었습니다.

노라 그리고 돈을 구해주셨고요.

크로그스타 제가 돈을 구해 드리겠다고 약속한 것은 조건부였습니다. 당신은 그 무렵, 주인어른의 병환 때문에 다른 생각이 없었고, 그저 여행비용만 구하면 된다는 생각만 하고 있었으므로 이에 따르는 여러 가지 조건에 대해서는 그다지 고려를 하지 않았던 것으로 생각이 됩니다. 따라서 다시 한 번 말씀드리는 것도 소용없는 것은 아닐 것입니다. 알겠습니까, 내가 금액의 조달을 약속한 것은 차용증서와 교환하자는 조건이었습니다.

노라 네, 그래서 저는 차용증서에 서명을 했었죠.

크로그스타 그렇습니다. 그러나 아버님에게도 보증인이 되어 주십사 하고 그 밑에 다른 선을 그었습니다. 그 선 위에 아버님이 서명을 할 예정이었지요.

노라 예정이었다고요—? 아버지는 물론 서명을 하셨습니다.

크로그스타 저는 날짜 표시하는 난을 일부러 비워 놓았습니다. 왜냐하면 아버님이 서명하신 난에 그 곳에 날짜를 써 넣어 주시기를 바랐기 때문입니다. 기억하십니까?

노라 네, 그랬던 것 같군요.

크로그스타 그리고 차용증서를 아버님께 우편으로 보내도록 당신에게 드렸습니다. 그렇지요?

노라 네.

크로그스타 당신은 곧 우송을 했어요. 오륙일이 지난 뒤에 당신은 아버님의 서명이 된 증서를 나에게 가져왔습니다. 그래서 나는 차용증서에 쓰인 금액에 해당되는 돈을 드렸지요.

노라 하지만 저는 꼬박꼬박 변제하고 있잖아요?

크로그스타 변제하고 계신 것은 사실입니다. 그러나— 지금 이야기로 다시 돌아옵니다만— 그 무렵은 부인에게는 매우 괴로운 시기였지요, 그렇죠?

크로그스타 아버님은 몸이 편찮으셔서 자리에 누운 채였고.

노라 중환이셨습니다.

크로그스타 그리고 오래 안 가 돌아가셨지요?

노라 네.

크로그스타 보세요, 부인. 혹시 당신은 아버님이 돌아가신 날을 기억하고 계십니까. 즉 몇 월 며칠인지를.

노라 아버지는 9월 29일에 돌아가셨습니다.

크로그스타 바로 맞았습니다. 저는 그것을 조사했습니다. 그런데 그렇게 되면 이상한 일이 하나 있습니다. (한 장의 종이를 꺼낸다) 저로서는 도저히 설명할 수 없는 일이.

노라 무엇이 이상하죠. 하나도 납득이 가지 않는군요.

크로그스타 이상하다는 것은 바로 이것입니다, 부인. 아버님께서는 이 차용증서에 돌아가시고 나서 사흘 뒤에 서명을 하신 것입니다.

노라 어떻게요? 저는 이해할 수가 없는데요.

크로그스타 아버님은 9월 29일에 돌아가셨습니다. 그러나 이것을 보십시오. 이곳에 아버님이 서명한 날짜는 10월 2일로 되어 있습니다. 이상하지 않습니까, 부인?

노라 (침묵)

크로그스타 그리고 또 하나, 연월일을 적은 필적이 아버님의 것이 아니라, 저에게 낯이 익은 다른 필적인 것도 이상한 일입니다. 어쩌면 그것은 아버님이 서명하셨을 때 날짜를 적어 넣는 것을 잊으셔서 나중에 누군가가 돌아가신 것을 알기 전에 적당히 적어 넣은 때문인지도 모릅니다. 그 사실은 별로 문제될 게 없습니다. 문제인 것은 서명 자체입니다. 이것은 틀림없이 진짜겠지요, 부인? 틀림없이 아버님이 손수 여기에 서명한 것인가요?

노라 (잠시 침묵을 지킨 뒤 목을 뒤로 젖히며 떳떳한 표정으로 그를 본다) 아닙니다. 그렇지가 않습니다. 아버지 이름을 서명한 것은 접니다.

크로그스타 보세요, 헬멜 부인— 알고 계신가요. 이것은 중대한 고백입니다.

노라 왜 그러시죠? 당신은 곧 당신이 빌려 준 돈을 전부 돌려받을 텐데요.

크로그스타 좀 물어봐도 되겠습니까? 당신은 어째서 아버님에게 차용증서를 보내지 않으셨죠?

노라 보낼 수가 없었어요. 아버지는 너무나 중병이셨고, 만일 서명을 부탁하게 되면 돈을 무엇에 쓰게 된다는 것도 이야기하지 않을 수 없었을 것입니다. 하지만 중병을 앓고 계신 아버지에게 주인의 목숨이 위험하다는 이야기는 도저히 할 수가 없었습니다. 불가능했습니다.

크로그스타 그렇다면 외국 여행 떠나는 것을 포기했으면 좋았을 게 아니겠어요.

노라 그럴 수는 없었습니다. 그 여행이 주인의 목숨을 구하는 길이었으니까— 어떻게 제가 그것을 포기할 수 있었겠습니까?

크로그스타 그러나 이것이 저에 대한 사기 행위라는 생각은 나지 않았던가요?

노라 저는 그런 걱정은 전혀 하지 않았습니다— 당신에 대해서는 전혀 아무런 생각도 하지 않았던 게 사실입니다. 당신이 저의 주인의 용태가 위험하다는 사실을 잘 알면서 냉정하게 까다로운 조건을 붙이는 데 몸서리쳤던 건 사실입니다.

크로그스타 헬멜 부인, 당신은 자신이 저지른 죄가 어떤 것인지 정말 아직 잘 모르고 계신 게 분명하군요. 말씀드립니다만, 제가 일찍이 저지른 범죄, 즉 그때까지의 저의 명성을 송두리째 무너뜨리게 한 죄라는 것도 사실은 당신이 저지른 것과 같은 일이었습니다.

노라 당신이요? 당신은 부인의 목숨을 건지기 위해서 무엇인가 특별한 행동을 하려고 했었다는 이야기를 하려는 건가요?

크로그스타 법은 동기는 묻지 않습니다.

노라 그렇다면 그 법이 돼먹지 않은 거죠.

크로그스타 돼먹지 않았든 어쨌든— 만일 제가 이 증서를 재판소에 제출하면 당신은 법에 따라 처벌을 받습니다.

노라 저는 그렇게 생각지 않습니다. 죽어가는 아버지에게 걱정과 근심을 안 하게 할 권리가 딸에게 없을 까닭이 없습니다. 남편의 목숨을 구할 권리가 아내에게 없을 까닭이 없습니다. 저는 법에 대해서는 잘 모릅니다만 어딘가에 그러한 행동은 용서한다고 쓰인 대목이 틀림없이 있으리라고 생각합니다. 그것을 변호사인 당신이 모르신다니 그다지 대단한 법률가라고는 할 수가 없겠군요, 크로그스타 씨.

크로그스타 그럴지도 모르지요. 그러나 지금 우리가 다 같이 문제가 되고 있는 이 일에 대해서는 잘 알고 있습니다. 좋습니다. 뒷일은 좋도록 하세요— 그러나 분명히 한마디 해 둘 것은 만일 내가 또다시 직장에서 쫓겨나게 되면 그때는 당신도 함께 길동무를 삼을 테니까 그런 줄 아십시오.

그는 인사를 하고 현관 밖으로 나간다.

노라 (잠시 생각에 잠겼다가 코웃음 치며 머리를 젓는다) 아무것도 아니야! 협박이야. 내가 그렇게 단순하지는 않아. (어린아이의 양복을 개키다가 곧 그만둔다) 하지만? 아아니, 물론 그럴 까닭이 없어! 나는 애정에서 그렇게 한 것이니까.

아이들 (아래쪽 문 있는 데서) 엄마, 모르는 아저씨는 문 밖으로 나갔어요.

노라 응, 알고 있단다. 하지만 모르는 아저씨 이야기는 아무에게도 하면 안 된다. 알겠니? 아빠에게도 말이다!

아이들 응, 엄마. 그럼, 우리들하고 또 놀아주는 거야.

노라 아아니, 아아니. 지금은 안 된다.

아이들 하지만 엄마, 약속했잖아.

노라 그래, 하지만 지금은 안 된다. 자아 나가 놀아라. 엄마는 일할 게 많으니까 자아 나가서 놀아요. (그녀는 아이들을 다정하게 방 밖으로 내보내고 문을 닫는다)

노라 (소파에 앉아서 뜨개질거리를 들고 한 바늘 두 바늘 뜨다가 이내 그만둔다) 아니야! (뜨개질거리를 내던지고 일어서서 현관 문께로 가서 부른다) 헬레나, 크리스마스트리를 갖다 주겠어. (아래쪽 테이블로 가서 서랍을 연다. 다시 그만둔다) 아아니, 그런 일은 절대로 있을 수 없어!

하녀 (크리스마스트리를 갖고 와서) 어디에 놓을까요, 마님?

노라 여기 방 한가운데 놓아요.

하녀 다른 시키실 일은 없으신가요?

노라 아니, 고마워. 필요한 것은 없어요. (하녀는 나무를 놓고 나간다)

노라 (크리스마스트리를 장식하기 시작한다) 여기 촛불 모양의 전등을 달고 그리고 꽃들은 여기 꽂고, 그놈의 끔찍한 사나이, 말도 되지 않는 소리, 말도 되지 않는 소리, 나쁜 일은 하나도 일어나지 않을 거야. 예쁜 트리가 될 거예요. 당신이 좋아하는 일이라면 무엇이라도 하겠어요. 톨발— 당신을 위해서 노래도 부르지요, 춤도 추겠어요. (헬멜이 한 다발의 서류를 겨드랑이에 끼고 밖에서 들어온다.)

노라 아니 벌써 돌아오세요?

헬멜 그렇소. 누가 왔었던가?

노라 여기에요? 아아뇨.

헬멜 이상한데. 크로그스타가 대문 밖으로 나가는 것을 보았는데.

노라 보셨어요? 오, 그래요, 그 말이 맞아요. 크로그스타 씨가 잠깐 다녀갔어요.

헬멜 노라, 당신 얼굴을 보면 알 수 있소. 녀석이 여기 찾아와서 자기를 위해서 부탁 좀 해달라고 당신에게 간청한 게 분명해.

노라 그랬어요.

헬멜 더욱이 당신이 스스로 말을 꺼내 당신 자신의 생각인 것처럼 행동하려고 한 것 아니오. 그가 여기 왔다는 것을 당신은 나에게 알리지 않으려고 했지 뭐요. 그것이 바로 그 녀석이 부탁한 거지, 안 그렇소?

노라 맞았어요, 톨발. 하지만—

헬멜 노라, 노라. 당신은 그 부탁을 들어준 거요? 그런 사나이와 이야기를 주고받고, 더욱이 무슨 약속을 하다니, 게다가 나에게 거짓말을 하려고 하다니!

노라 거짓말을 한다고요?

헬멜 여기에 아무도 오지 않았다고 말한 게 당신이 아니던가? (그녀에게 손가락질을 하면서) 나의 귀여운 종달새는 다시는 그런 짓을 해서는 안 되오. 종달새는 맑은 목소리로 지저귀지 않으면 안 되는 거요. 결코 잘못된 목소리를 내어서는 안 되는 거요. (그녀의 허리를 끌어안으며) 그렇지 않소? 그렇고말고. 나는 잘 알고 있다오. (그녀를 놓아준다) 자아 이제 이 이야기는 그만둡시다. (스토브 곁에 앉는다) 아, 따뜻하니 기분이 좋구나! (서류를 펼쳐 든다)

노라 (크리스마스트리를 장식한다. 이윽고 잠시 뒤에) 톨발!

헬멜 응.

노라 내일모레 스텐볼그 씨 댁에서 열리는 가장무도회에 굉장히 기대가 커요.

헬멜 당신이 어떤 모양으로 나를 놀라게 할는지 아주 기대하고 있겠소.

노라 오, 아주 바보 같은 생각.

헬멜 그게 무슨 소리요?

노라 좋은 생각이 하나도 떠오르지를 않네요. 모든 것이 바보스럽고 하잘것없이만 생각되네요.

헬멜 나의 귀여운 노라는 겨우 그것을 깨달았소?

노라 (그의 의자 등 뒤에 서서 두 팔을 팔걸이 위에 올려놓으며) 바쁘세요, 톨발?

헬멜 글쎄.

노라 이건 모두 무슨 서류죠?

헬멜 은행 일이오.

노라 벌써부터요.

헬멜 이번에 그만둔 전무에게 부탁해서 필요한 인사이동과 업무 계획을 변경할 수 있는 전권(全權)을 물려받았다오. 크리스마스 휴가를 이 서류 정리하는 데 쓸 생각이라오. 새해까지는 모든 것을 새로 시작할 수 있도록 준비하고 싶어서 그런다오.

노라 그래서 그 불쌍한 크로그스타가—

헬멜 흥!

노라 (의자 등에 기댄 채 남편의 머리털을 조용히 쓰다듬는다) 만일 그렇게 바쁘지 않으시다면 당신에게 아주 큰 부탁이 있는데요, 톨발.

헬멜 그게 뭐요, 말해보구려.

노라 당신만큼 좋은 취미를 가진 사람은 어디에도 없어요. 저는 가장무도회에서 손님들을 모두 깜짝 놀라게 하고 싶어요. 제가 무엇이 되면 좋을지, 어떤 옷을 입으면 좋을지 정해주셨으면 해요.

헬멜 하하, 우리 귀여운 고집쟁이는 구세주를 원하고 있군그래.

노라 그렇다니까요, 톨발. 당신의 도움 없이는 아무것도 할 수 없지 뭐예요.

헬멜 좋소, 좋아. 생각해봅시다. 좋은 생각이 떠오르겠지.

노라 어머, 당신은 정말 친절한 분이에요. (또다시 크리스마스트리 곁으로 간다. 잠시 뒤) 붉은 꽃이 아주 예쁘게 보이네요. 그런데요, 저 크로그스타가 한 일이 그렇게 나쁜 것이었나요?

헬멜 가짜 서명을 한 것이라오. 이렇게 말해도 당신은 무슨 뜻인지 잘 모를게요, 안 그렇소?

노라 필요에 몰려서 어쩔 수 없이 한 것이 아닐까요?

헬멜 아마 그랬을 테지. 아니면 다른 사람들과 마찬가지로 분별을 잃어서 그런 짓을 한 것이겠지. 나는 사소한 잘못 때문에 한 사나이를 파멸시킬 만큼 무자비한 사람은 아니라오.

노라 아니에요, 당신은 그러시지 않으실 거예요, 그렇죠, 톨발?

헬멜 누구라도 도덕적으로 다시 재출발하는 것은 가능한 일이오. 만일 자기 죄를 기꺼이 인정하고 벌을 받는다면 말이오.

노라 벌이라고요?

헬멜 그러나 크로그스타는 벌을 받지 않았소. 녀석은 적당히 속여서 어물어물 넘어가버리고 말았소. 바로 그 점이 나는 싫다는 것이오. 녀석이 도덕적으로 썩었다는 것은.

노라 당신 생각에는 그것이?

헬멜 생각해보구려. 자기의 죄를 감추려면 모든 사람에게 거짓말을 하고 항상 위선의 가면을 쓰지 않으면 안 되오. 친한 사람들에게까지도, 그렇지 아내와 아이들에게까지도 말이오. 심지어 자기 자식들에게도 그렇게 대해야 하니 — 정말 이와 같이 무서운 일이 어디 있겠소, 노라.

노라 어째서죠?

헬멜 어째서라니, 그런 거짓말에서 풍겨 나오는 악취는 온 집안 구석구석에 병원을 퍼뜨리기 때문이오. 그러한 가정에선 애들이 숨

쉬는 공기 하나하나에 치욕의 종자가 충만 되어 있기 때문이오.

노라 (남편 등 뒤에 바짝 다가선다) 당신은 그렇게 굳게 믿으세요?

헬멜 아, 여보, 나는 변호사로서 몇 번이나 경험해왔소. 빨리 타락하는 사람의 거의 전부에게 거짓말쟁이 어머니가 있다는 사실을.

노라 어째서 하필이면 어머니만을 거론하는 거죠?

헬멜 어머니 탓인 경우가 제일 많습디다. 그러나 아버지도 같은 영향을 줄 수 있다는 것 또한 사실이오. 그것은 변호사라면 누구나 다 잘 알고 있는 사실이라오. 그런데도 크로그스타는 자기 집에서 거짓말과 거짓 가면으로 자기 자식들을 해치고 있는 것이오. (그녀에게 손을 뻗친다) 그러니까 나의 귀여운 노라는 그 사나이에 대한 이야기를 절대로 하지 않겠다고 약속해주오. 그런 뜻으로 자 악수를 합시다. 그러니까 자아 어떻소? 손을 이리 줘봐요. 자아 됐어요. 이제 약속을 한 거요. 그 사나이와 함께 일한다는 것은 나에게는 있을 수 없는 일이오. 그런 사나이 곁에 있으면 글자 그대로 생리적으로 구역질난단 말이오.

노라 (남편에게 잡힌 손을 가볍게 뿌리치고 크리스마스트리 저쪽으로 걸어간다) 왜 이렇게 더울까? 그런데 할 일은 태산 같으니.

헬멜 (자리에서 일어나 서류를 챙긴다) 응, 나도 식사 전에 이걸 좀 보아두어야겠소. 당신 입을 옷에 대해서도 생각을 해야겠소. 그리고 금종이에 싸서 크리스마스트리에 매달아 놓을 것도 말이오— (두 손으로 그녀의 머리를 감싸면서) 오, 나의 귀여운 소중한 작은 새여!

노라 (한동안 침묵을 지킨 끝에 낮은 목소리로) 오, 아니야, 그럴 리가 없어…… 아니야, 있을 수 없는 일이야! 그건 있을 수 없는 일이야!

유모 (왼쪽 문가에서) 아기들이 어머니한테 와도 좋은지 얌전하게 물어보는데요.

노라 아니, 아니야. 데려오지 말아요. 아이들을 데리고 있어줘요.

유모 네, 마님. (문을 닫는다)

노라 (두려움에 얼굴이 파랗게 질린다) 아이들을 타락시킨다! 가정을 더럽힌다고! (그녀는 잠시 그 자리에 우뚝 서 있다가 머리를 똑바로 쳐든다) 그럴 리가 없어! 절대로 그럴 수는 없는 일이야.

2막

같은 방, 무대 안쪽 깊은 곳에 피아노가 놓였고 그 곁에 크리스마스 트리가 서 있다. 장식품은 마구 떨어지고 난잡한 모양, 타다 남은 촛불만 있을 뿐. 노라의 외투가 소파 위에 놓여 있다.

노라는 혼자서 초조하게 방 안을 이리저리 왔다 갔다 하고 있다. 마침내 소파 곁에 걸음을 멈추고 외투를 집어 든다.

노라 (또다시 외투를 떨어뜨린다) 누군가가 오는구나! (문 쪽으로 걸어가서 귀를 기울인다) 아니야— 아무도 없다. 오늘은 아무도 안 오는 게 당연하지, 크리스마스 날인데. 내일도 그렇지. 하지만 혹시 어쩌면— (문을 열고 바깥을 본다) 아니, 편지통에도 아무것도 없네. 아주 텅 비어 있구나. (방 안을 왔다 갔다 한다) 터무니없는 생각이지. 그 사람이 진심으로 그런 소리를 한 건 아닐 거야. 그런 일이 일어날 수는 없어. 불가능한 일이지. 나에게는 귀여운 아이들이 셋이나 있는데.

유모가 커다란 종이 상자를 들고 무대 왼쪽 방에서 들어온다

유모 자아 겨우 옷상자를 찾아냈어요.

노라 고마워, 테이블 위에 놓아요.

유모 (그렇게 한다) 하지만 심하게 망가진 것 같군요.

노라 아, 갈기갈기 찢어버리고 싶다!

유모 원 당치도 않은 말씀. 곧 고칠 수 있어요. 조금만 참으세요.

노라 그래요, 린데 부인을 오라고 해서 도와달라고 해야겠어.

유모 다시 또 나가시면 절대로 안 됩니다. 이렇게 끔찍한 날씨에 나가시다뇨. 무섭게 감기가 걸리신다니까요.

노라 그런 게 문제야, 감기보다도 더 무서운 게 있는걸. 애들은 뭘 하고 있지?

유모 크리스마스 때 받은 선물을 갖고 놀고 있어요. 하지만…….

노라 내 이야기를 묻습디까?

유모 아시다시피 애들은 항상 엄마하고 함께 있어 버릇해서요.

노라 그렇군. 하지만 유모, 나는 이제부터는 여지껏 그랬던 것처럼 함께 있어줄 수가 없을 것 같아.

유모 글쎄요, 애들은 무엇에나 이내 습관이 되니까요.

노라 정말 그렇게 생각해? 엄마가 멀리 떠나버려도 곧 잊어버릴 거라고 생각해요?

유모 아주 멀리 떠나버리다니요? 맙소사!

노라 이야기해줘요. 유모— 항상 이상하게 생각했어— 유모는

자기 자식을 낯선 사람에게 어떻게 맡길 생각이 들었지?

유모 하지만 저는 그럴 수밖에 없었어요. 저는 어린 노라 아가씨에게 젖을 먹여 주어야만 했으니까요.

노라 그래요, 하지만 어떻게 차마 그럴 수가 있었지?

유모 어느 댁에서 이렇게 좋은 대우를 받을 수 있겠어요? 불행한 가난한 처녀에게는 더할 나위 없이 좋은 자리였지요. 그 지독한 사나이는 저에게 아무것도 해주지 않았으니까요.

노라 유모의 딸은 완전히 엄마를 잊어버린 게 아니야?

유모 아니요, 원 당치 않은 말씀입니다. 그 애는 편지를 보냈지요. 열다섯 살이 되어 견신례(堅信禮)를 치를 때도, 또 그 뒤 결혼할 때도.

노라 (그녀의 목을 얼싸안는다) 유모, 유모는 내가 어렸을 때, 아주 좋은 어머니였어.

유모 어린 노라 아가씨는 불쌍하게도 저밖에 어머니가 없었으니까요.

노라 만일 저 애들에게도 어머니가 없었다면 틀림없이 유모가— 아이 참 왜 내가 이런 말도 되지 않는 소리를 하고 있지. (상자를 연다) 아이들한테 가봐요. 이제부터 준비를 해야지— 내일은 아주 훌륭하게 차려 입을 테니까.

유모 그렇습지요, 무도회 어디를 찾아봐도 노라 아씨처럼 어여쁜 분은 절대로 없을 거예요. (왼쪽 방으로 사라진다)

노라 (옷상자 속에서 꺼내다가 전부 내던져버린다) 오, 집을 박차고 나갈 용기가 있다면 얼마나 좋을까! 아무도 오지 않으리라는 걸 믿을 수만 있다면, 그동안에 여기서 아무런 일도 일어나지 않기만 한다면…… 그렇게 바보 같은 생각을 할 게 아니야…… 아무도 오지 않을 거야. 이런 생각을 해서는 안 되지. 머프(muff)에 솔질을 해야지. 예쁜 장갑, 예쁜 장갑! 거기에 대해서는 생각하지 말아야지, 생각하지 말아야 한다! 하나, 둘, 셋, 넷, 다섯, 여섯 (소리친다) 앗, 오는구나—

문 쪽으로 걸어가려다가 결정을 하지 못하고 걸음을 멈춘다. 린데 부인이 현관에 외투를 벗어 놓고 들어온다.

노라 오, 당신이군요, 크리스티네, 바깥에는 아무도 없었나요? 오, 찾아와 주어서 정말 고마워요.

린데 부인 나를 여러 번 찾았다면서요?

노라 그래요. 지나가는 길에 들렀어요. 나를 도와주어야 할 일이 있어요. 여기 소파에 앉읍시다. 저 말예요, 내일 밤 스텐볼그 영사님 댁에서 가장무도회가 열린답니다. 톨발이 나에게 나폴리 출신인 어부의 딸이 되어서 타란텔라를 추는 것이 좋겠다고 말하지 않겠어요. 카프리에서 그 춤을 배웠거든요.

린데 부인 알겠어요. 당신은 여흥까지 할 생각이로군요, 안 그래요?

노라 네, 톨발이 꼭 춤을 추라는 거예요. 이봐요, 의상도 있어요.

그곳에서 톨발이 만들게 한 거예요. 그런데 글쎄 누더기가 다 되다시피 해서 어쨌으면 좋을지—

린데 부인 오, 곧 고칠 수 있어요. 여기저기 레이스가 좀 떨어졌을 뿐인데. 바늘과 실 있죠? 그것만 있으면 된다니까요.

노라 어머, 정말 친절하군요.

린데 부인 (바느질을 시작한다) 그럼 내일 이 옷을 입을 거죠, 노라? 나도 잠깐 여기 들러서 당신이 옷 입은 모습을 봐야겠네요. 아 참 그렇지, 즐거웠던 어제저녁 일에 대해서 고맙다고 말하는 것을 완전히 잊고 있었네요.

노라 (일어서서 방 저편으로 걸어간다) 어제는 여느 때처럼 즐겁지는 않았죠— 당신이 좀 더 일찍 이 고장에 왔더라면 좋았을 것을— 네, 그야 톨발은 집안을 명랑하게 만드는 데 능하긴 하지만요.

린데 부인 아니야, 당신도 아주 명랑한 편이지. 내가 보기에는 그렇지 않으면 당신 아버님의 딸이 아니게. 그런데 말이에요. 랭크 선생은 어제저녁처럼 항상 그렇게 우울한가요?

노라 아뇨, 어젯밤에는 여느 때보다 더 기분이 나빴던 편이죠. 정말 중병을 앓고 계시거든요, 불쌍한 분이죠. 척추 결핵이지 뭐예요, 글쎄. 사실을 말하자면 선생의 아버지라는 분이 몸을 함부로 굴려서 첩이니 뭐니를 두고 있었거든요. 그래서 어린애는 태어났을 때부터 병을 앓고 있었던 거예요. 알겠죠?

린데 부인 (바느질하던 것을 내려놓는다) 그런데 노라는 어떻게 그런 사실을 알게 되었죠?

노라 (방 안을 왔다 갔다 한다) 휴— 아이들이 세 명쯤 되고 보면, 때때로— 어중간한 의학 지식을 가진 마나님들이 찾아오게 마련이죠. 그래서 여러 가지 사실을 가르쳐주는 거죠.

린데 부인 (다시 바느질을 시작한다. 잠시 말이 없다) 랭크 선생은 매일 이 집에 오시나요?

노라 하루도 빠지지 않으시죠. 선생님은 톨발이 제일 친한 어릴 때 친구거든요. 나에게도 아주 좋은 친구지요. 가족의 한 사람이라고 해도 좋을 정도로.

린데 부인 그렇게 말하니 물어보겠는데 그분은 정말 진실한 분인가요? 내 이야기는 그분은 사람의 마음을 기쁘게 하기 위해서 없는 이야기도 꾸며서 하시는 분이 아닌가 하는 거예요.

노라 천만에, 전혀 그렇지 않아요. 무엇을 보고 그런 생각을 했죠?

린데 부인 당신이 어저께 나를 소개했을 때 선생은 내 이름을 이 집에서 자주 듣곤 했다고 말씀하셨어요. 하지만 나중에 주인어른은 나에 대해서 전혀 모르시는 것 같더란 말예요. 그러니 어떻게 랭크 선생이 그런 말씀을 한 것인지—

노라 그래요, 그건 말예요, 크리스티네. 알다시피, 톨발은 도저히 믿을 수 없을 만큼 나를 좋아하거든요. 그래서 본인도 그렇게 말하다시피 항상 자기만이 나를 독점하고 싶어 하지 뭐겠어요. 신혼 초에는 내가 결혼하기 전에 친하게 지내던 사람의 이름만 입밖에 내어도 질투를 했었지요. 그러니 자연히 나도 말을 하지 않게 될 수밖에요. 하지만 랭크 선생하고는 그런 이야기를 잘 주고 받고 했어요. 선생은 기꺼이 들어주었으니까요.

린데 부인 이봐요, 노라. 당신은 여러 가지 점에서 아직 철부지예요. 나는 당신보다 나이도 위고, 경험도 많지요. 말해 두지만 랭크 선생과의 일은 그만두도록 하지 않으면 안 돼요.

노라 그만두다니요, 무엇을요?

린데 부인 이것저것 모두요. 어제 당신은 부자인 숭배자 이야기를 했었죠. 돈을 만들어 주는—

노라 그래요, 하지만 불행하게도 그런 사람은 사실은 존재하지 않아요. 그런데 그것이 어쨌다는 거죠?

린데 부인 랭크 선생은 재산가인가요?

노라 네, 그래요.

린데 부인 그런데 가족은 없나요?

노라 없어요, 왜 그러죠—

린데 부인 그런데 매일 여기 오신다고 했죠?

노라 내가 그렇게 말하지 않았던가요.

린데 부인 어떻게 감히 그처럼 교육받은 사람이 뻔뻔스럽게 굴 수 있을까?

노라 당신 말이 무슨 뜻인지 영 모르겠군요.

린데 부인 숨기지 않아도 좋아요, 노라. 당신이 누구에게서 1천 2백 달러를 빌렸는지 내가 모를 줄 아세요?

노라 당신 머리가 어떻게 된 게 아녜요? 그런 생각을 하다니! 친구예요. 하루도 빠짐없이 우리 집에 오시는 분이에요. 그런 일이 있다면 괴로워서 견딜 수 있을 거 같아요?

린데 부인 그럼, 정말 선생이 아니란 말예요?

노라 아니라니까요. 당연한 이야기죠. 꿈에도 생각지 못한 일이죠. 그 무렵은, 선생은 아직 남에게 빌려 줄 만한 돈도 갖고 있지 않았고. 그 뒤에 유산을 물려받으신 거죠.

린데 부인 그렇다니 정말 다행이군요.

노라 정말이지, 랭크 선생에게 부탁한다는 것은 한 번도 생각해 본 일이 없었어요— 하지만 나는 자신이 있어요. 내가 만일 부탁한다면—

린데 부인 물론 부탁하지 않겠지요.

노라 물론 그래요. 그럴 필요가 있다고도 생각하지 않아요. 하지만 나는 자신은 있어요, 만일 내가 랭크 선생에게 이야기한다면.

린데 부인 주인어른 모르게 말이죠?

노라 그 밖에도 꼭 청산해야 할 일이 있거든요. 그것도 남편 모르게 해야 할 일이지요. 그걸 꼭 해결해야겠어요.

린데 부인 네— 나도 어제는 그렇게 말했지만, 하지만—

노라 (왔다 갔다 한다) 이러한 일은 남자 편이 여자보다 훨씬 잘 해결할 수 있으련만—

린데 부인 그렇지요, 남편이 해결하는 편이 훨씬 수월하죠.

노라 말도 되지 않는 소리. (갑자기 걸음을 멈춘다) 빌린 돈을 전부 돌려주면 차용증서는 돌려받을 수 있죠?

린데 부인　그야 물론이죠.

노라　그렇게 되면 백 갈래 천 갈래 발기발기 찢어서 불에 태워 버려야겠어요— 아, 소름끼치는 끔찍스러운 그 종이를 말예요.

린데 부인　(그녀를 뚫어지게 보고 바느질하던 것을 놓고 천천히 일어선다) 노라, 당신 무엇인가 감추고 있군요.

노라　그렇게 분명히 알아볼 수 있겠어요?

린데 부인　어제 아침부터 당신에게 무슨 일인지 일어났군요. 노라, 그게 뭐죠?

노라　(그녀를 향하여) 크리스티네! (귀를 기울인다) 남편이 돌아온 모양이에요. 저 말이죠. 잠시 아이들한테 가 있으세요. 톨발은 바느질감을 보는 것을 싫어해요. 유모에게 도와 달라고 하세요.

린데 부인　(주위를 정돈한다) 네, 네, 하지만 분명한 이야기를 듣기 전에는 돌아가지 않겠어요.

톨발이 방 안으로 들어옴과 동시에 그녀는 무대 왼편으로 나간다.

노라　(그에게로 간다) 아, 기다리고 있었어요, 톨발.

헬멜　옷 만들고 있는 거요?

노라　아아뇨, 크리스티네가 거들고 있어요. 옷 고치는 것을 거들어 주고 있는 거예요. 멋진 옷을 입게 될 거예요.

톨발　어떻소, 내 생각이 아주 좋지 않소?

노라　나무랄 데 없어요! 하지만 당신의 말씀대로 따르는 저도 꽤 현명한 여자라고 할 수 있겠죠?

헬멜 (그녀의 턱을 받쳐 들며) 현명하다고— 남편을 따르니까? 자아 이 작은 미친 새야, 알고 있어, 알고 있어. 그런 생각으로 말한 것은 아니겠지. 그러나 이러고저러고 할 것은 없어. 온순해지려고 노력하고 있는 것은 확실하니까 말야.

노라 뭐 일하실 게 있으신 모양이죠?

헬멜 그렇다오. (서류를 보인다) 보구려, 나 은행에 갔다 오는 길이라오. (자기 방으로 들어가려고 한다)

노라 톨발.

헬멜 (걸음을 멈춘다) 응.

노라 만일 지금 당신의 작은 다람쥐가 진심으로 부탁을 한다면.

헬멜 그래서?

노라 들어 주시겠어요?

헬멜 글쎄, 그거야 우선 무슨 이야기인지 들어 보아야지.

노라 만일 당신이 다정하게 제 부탁을 들어 주신다면 다람쥐는 아주 신바람이 나서 뛰어다닐 거예요.

헬멜 말해 보구려.

노라 종달새는 온 집안을 날아다니면서 노래할 거예요. 낮은 소리, 높은 소리로 말예요.

헬멜 그런 일이라면 항상 하고 있는 게 아니오.

노라 저는 당신을 위해서 요정(妖精)이 되겠어요. 달빛을 받으면서 미친 듯이 춤 출 거예요, 톨발.

헬멜 노라— 설마 오늘 아침에 꺼냈던 이야기를 또 하려는 거야 아니겠지?

노라 (남편에게 가까이 다가선다) 바로 그거라니까요, 톨발. 제발 부탁이에요.

헬멜 그 문제를 또다시 끄집어내다니 정말 놀라지 않을 수 없구려.

노라 오, 제발 제가 부탁하는 대로 꼭 해 주세요. 크로그스타를 은행에서 계속 일하게 해주세요, 네, 부탁이에요.

헬멜 노라, 내 말을 잘 들어요. 녀석의 자리는 린데 부인에게 돌아간 거요.

노라 네, 그건 정말 잘하신 일이에요. 하지만 크로그스타 대신 누군가 다른 사무원을 그만두게 할 수도 있잖아요.

헬멜 참 당신의 고집도 정말 어지간하구려. 당신이 녀석을 위해서 그처럼 간청을 하다니, 그런 경솔한 약속을 했다고 해서, 단지 그것 때문에 내가—

노라 아니에요, 그래서 그러는 게 아니라니까요, 톨발. 당신을 위해서 그러는 거예요. 그 사람이 삼류 신문에 글을 쓰고 있다고 당신이 말씀하셨잖아요. 그가 당신에게 어떤 해를 끼칠지도 모르잖아요. 저는 숨이 막힐 정도로 걱정이 된단 말이에요.

헬멜 아, 이제야 알겠군. 옛날 일을 생각하고 겁에 질려 있는 것이로구만.

노라 무슨 말씀이시죠?

헬멜 당신 아버지 생각을 하고 있는 게 분명하잖아.

노라 그래요, 바로 맞았어요. 기억하시겠죠. 심술궂은 사람들이 아버지에 대해 신문에 글을 써서 얼마나 혼이 났던지, 관청에서 파견된 조사관으로 나온 당신이 친절하게 아버지를 도와주지 않았더라면 아버지는 쫓겨나고 말았을 게 분명해요.

헬멜 귀여운 노라. 당신의 아버지와 나와는 전혀 문제가 달라요. 아버지는 아무리 좋게 보려고 해도 청렴결백한 관리라고는 할 수 없었지. 하지만 나는 청렴결백하오. 나는 지금 일을 하고 있는 동안에도 내내 그러기를 바라고 있는 거요.

노라 아니에요. 아무도 알 수 없는 거예요. 심술궂은 사람들이 무엇을 찾아낼지는. 지금 우리는 평화롭게 지내고 있고 아무런 걱정도 없어요. 이제부터 평온하고 행복한 생활을 할 거잖아요— 당신과 저와 아이들과, 그러니까 톨발, 제발 진심으로 부탁이에요.

헬멜 당신이 녀석을 위해서 부탁을 하면 할수록 그 녀석을 그대로 둘 수가 없게 되는 거요. 녀석을 그만두게 한다는 것은 이미 은행 사람들이 다 알고 있는 사실이오. 그런데 새로운 전무는 여편네 말을 듣고 결심을 바꿨다는 소문이라도 나 보구려.

노라 그래서 그것이 어떻다는 거죠?

헬멜 아니, 그야 물론 문제될 거야 없지! 귀여운 고집불통 마나님의 고집이 통과된 것에 지나지 않지— 하지만 나는 부하 직원들의 웃음거리가 될 게 뻔한 노릇이지. 모두가 그렇게 말할 거요, 나는 타인의 영향을 잘 받는 줏대 없는 위인이라고. 안 그렇소?

그렇게 되면 곧 어떤 일이 일어날지 생각해 보구려. 그 밖에도 또 내가 전무인 동안은 절대로 크로그스타를 우리 은행에 둘 수 없는 이유가 있다오.

노라 뭐죠, 그게?

헬멜 녀석이 지니고 있는 도덕적인 결함은 어떻게든 모른 체할 수도 있는 일이긴 하오—

노라 네, 톨발, 모든 체할 수 없겠나요?

헬멜 하기야 녀석이 상당히 일꾼이라는 이야기도 들은 게 사실이긴 하오. 그러나 녀석은 나의 학창 시절의 친구란 말이오. 적당히 맺어진 우정이란 나중에 가서 후회하게 되는 일이 많은 법이오. 사실을 말하자면, 우리들은 여보게, 자네, 하고 터놓고 지내는 사이란 말이오. 녀석은 예의도 없이 사람들 보는 앞에서 전혀 우리 사이를 감추려고 하지 않는단 말이오. 그뿐만 아니라— 나에게 친숙하게 말을 거는 게 당연하다고 생각하고 있단 말이오. 그러니까 늘 여보게, 여보게, 헬멜, 하고 부른단 말이오. 정말 죽을 지경이오. 나는 녀석과 함께 은행에서 일하는 것을 도저히 참을 수가 없소.

노라 톨발, 정말 진심에서 하시는 말씀은 아니시겠죠?

헬멜 진심이 아니라니, 그게 무슨 말이요?

노라 글쎄요— 제 생각에는 말도 되지 않는 이유 같군요.

헬멜 말도 되지 않다니, 당신이야말로 그게 무슨 말이요? 내가 보잘것없는 위인이라는 거요?

노라 아니에요, 그와는 정반대죠. 그렇기 때문에 —

헬멜 알았소! 당신은 내가 그를 그만두게 하는 동기가 보잘것없는 것이라고 했소. 따라서 나도 보잘것없는 인간이 된 셈이오. 좋아요! 아주 이 문제를 깨끗이 끝장을 내고 맙시다. (현관 쪽으로 가서 부른다) 헬레나!

노라 어떻게 하시려는 거죠?

헬멜 (서류 뭉치 속을 뒤진다) 결정통고(決定通告)를 내는 거요.

하녀가 들어온다.

헬멜 알겠나, 이 편지를 갖고 곧 아래층으로 내려가서 우편 배달인을 찾아서 곧 보내도록 해라. 지체하지 말고 곧 내야 된다. 주소는 봉투 위에 써 있다. 잠깐만 여기 돈이 있다.

하녀 알았습니다. (편지를 갖고 나간다.)

헬멜 (서류를 챙긴다) 자아 일은 끝났소. 고집쟁이 양반아!

노라 (숨이 막힌다) 톨발! 그게 무슨 편지죠?

헬멜 크로그스타의 해고 통지요.

노라 다시 불러 오세요, 톨발! 아직 늦지 않았어요, 다시 불러요! 저를 위해서 — 당신을 위해서, 아이들을 위해서! 이봐요 톨발, 제발 다시 불러 오세요! 당신은 그 편지가 우리 모두에게 무엇을 안겨다 줄지 모르고 계신 거예요.

헬멜 이제는 너무나 늦었소.

노라 그래요…… 너무 늦었어요.

헬멜 노라, 나는 당신이 걱정하는 것을 용서해 주겠소. 사실, 그것은 나에 대한 모욕이지만, 그렇지 모욕이고 말고! 내가 그 따위 너절한 변호사 따위의 복수를 두려워할 줄 알다니, 그게 모욕이 아니란 말이요? 그래도 당신을 용서하겠소. 왜냐하면 그것은 당신이 나를 끔찍하게 사랑한다는 가슴 뜨거운 증거니까. (그는 아내를 두 팔로 얼싸안는다) 자아 나의 귀여운 노라, 이제 일은 끝났소. 무슨 일이든 일어나라지. 다급한 때가 오면 나는 용기도 있고 힘도 있소. 나는 모든 것을 나 혼자서 책임질 수 있는 사나이라는 것을 당신에게 보여주겠소.

노라 (공포에 온몸이 굳어져 있다) 그게 무슨 뜻이죠?

헬멜 지금 내가 말한 그대로 하겠다는 뜻인 거요.

노라 (냉정을 되찾으며 조용히) 절대로 당신에게 그렇게 하도록 내버려 두지는 않을 거예요.

헬멜 그렇다면 좋아요, 노라. 우린 한 남자와 아내로서 둘이서 함께 어려움을 감당합시다. 그게 바로 우리가 할 수 있는 일이오. (그녀를 애무한다) 이제 마음이 놓이오? 자아 자아 그렇게 겁에 질린 비둘기 같은 표정을 하지 말아요. 모두가 단순한 상상에 지나지 않소. 자아 타란텔라를 춤추면서 탬버린과 곡조가 맞는지 연습을 해야 될 게 아니겠소. 나는 방에 들어가 문을 닫고 있을 테니까 당신은 마음대로 떠들구려. (문 앞에서 뒤를 돌아보고) 그리고 랭크가 오거든 내가 있는 곳을 가르쳐 주구려.

그는 아내에게 고개를 끄덕이고 서류 뭉치를 들고 자기 방으로 들어가서 문을 닫는다.

노라 (두려움 때문에 반쯤 정신이 나간 상태로 그 자리에 뿌리가 박힌 것처럼 꼼짝 못하고 선 채 혼자 중얼거린다) 그이는 정말 일을 저지르고 말았어. 저지르고 말았단 말이야! 어쩌면 그럴 수 있을까! 일이 전부 엉망이 되는 것도 모르고 말야. 아니야, 절대로 그래서는 안 된다니까! 그렇게 되지 않는 무슨 방도가 있을 거야! 뭔가 이 곤경에서 빠져나갈 방법이 있겠지 — 도움받을 수 있는 길이 말이야. (초인종 소리가 들린다) 랭크 선생이구나! 그래 그렇게 되느니보다 무엇인가 다른 방법이 있겠지, 그것이 무엇이든 상관할 게 없어!

그녀는 얼굴을 매만지고 정신을 차려 현관으로 통하는 문을 연다. 랭크 박사가 바깥에 서서 외투를 걸고 있다. 다음 대화중에 주위는 어두워진다.

노라 안녕하세요, 랭크 선생, 초인종 소리를 듣고 선생이 오신 줄 알았어요. 하지만 지금은 톨발한테 가지 마세요. 일하는 중인 것 같으니까요.

랭크 당신은 어때요?

노라 (그가 안으로 들어온 다음 문을 닫으면서) 어머 알고 계시면서— 선생을 위해서라면 저는 언제든지 동무해 드릴 시간이 있다니까요.

랭크 그것 참 고마운 말씀이군요. 그럼 할 수 있는 동안은 그렇게 하지요.

노라 그게 무슨 말씀이죠? 할 수 있는 동안이라니요?

랭크 왜, 그 말에 놀랐습니까?

노라 아주 이상한 말투잖아요. 무슨 일이 일어나나요?

랭크 그렇답니다…… 오래전부터 각오하고 있었던 일이죠. 하지만 이렇게 빨리 찾아올 줄을 몰랐어요.

노라 (그의 한쪽 팔을 부여잡는다) 무엇을 알게 되신 거죠? 닥터 랭크, 저한테는 꼭 이야기해 주셔야 해요!

랭크 (스토브 곁에 앉는다) 목숨이 떠나가고 있답니다. 이제는 어쩔 도리가 없는 거예요.

노라 (안도의 한숨을 몰아쉬면서) 그럼 선생 이야기였군요!

랭크 그밖에 누가 있겠습니까? 내 자신에게 거짓말을 해 보았자 아무 소용이 없는 것이죠. 나는 나를 찾아오는 환자들 가운데 가장 비참한 녀석이죠. 헬멜 부인, 요 며칠 동안 나는 내 몸의 내부 상태를 빠짐없이 조사해 보았습니다. 파산 상태랍니다. 아마도 앞으로 한 달 이내에 나는 무덤 속에 누워서 썩고 있을 겁니다.

노라 아이 참! 그런 끔찍스러운 말씀은 하지 마세요.

랭크 정말 끔찍한 일이지요. 하지만 제일 견딜 수 없는 것은 이제부터 더 괴로운 일을 겪지 않으면 안 된다는 것이죠. 이제 한 가지 검사만 끝내면 대체로 언제부터 이 몸이 썩어 들어가기 시작할는지 알 수 있습니다. 부인에게만 가르쳐 드리겠습니다. 헬멜은 더러운 것과 얼굴을 마주치기에는 너무나 섬세한 성격이니까, 내 병실에 그가 들어오게 해서는 안 됩니다.

노라 하지만 랭크 선생—

랭크 내 병실에 그가 오는 것을 원치 않습니다. 무슨 일이 있어도 그에게는 내 병실 문을 꼭 닫고 열지 않겠어요. 최악의 상태에 이르렀다는 것을 분명히 알게 되면 부인에게 검은 십자 표시를 적은 명함을 보낼 테니까요. 바로 그것이 더러운 육체가 썩어 들어간다는 표시인 줄 아십시오.

노라 아니에요, 오늘 선생님은 정말 이상하시네요. 더욱이 오늘만은 선생님이 명랑해 주셨으면 하고 제가 이렇게 바라는데.

랭크 저승사자가 바로 근처에 와 있는데도 말입니까? 나는 이렇게 타인의 죄에 대해서 속죄를 하는 거랍니다. 이것이 정의일까요? 하기야 이 세상 어떤 집이라도 어쩔 수 없는 보복과 같은 작용을 받지 않는 집은 하나도 없는지도 모르지요.

노라 (두 귀를 막는다) 말도 되지 않는 소리에요! 기운을 내세요! 명랑해지시란 말이에요!

랭크 그래요, 정말로 이 모든 일들은 하나의 웃음거리에 지나지 않는 거예요. 나의 불쌍한 아무 죄 없는 척추 뼈가 아버지의 즐거웠던 장교 시절에 대한 보상을 치르게 되었으니 말씀입니다.

노라 (왼쪽에 놓인 테이블 곁에서) 아버님은 아스파라거스와 짐승

고기를 좋아하셨던 것이 아니신가요?

랭크 네, 그리고 송로(松露)도요.

노라 그렇군요, 송로도 좋아하셨고, 굴도 좋아하셨겠지요?

랭크 굴? 오, 그렇군요, 분명히 굴을 좋아하셨어요.

노라 그리고 포도주와 샴페인이니 하는 맛좋은 것들만이 뼈를 상하게 한다니 정말 너무하군요.

랭크 더욱이 그런 맛있는 것은 먹어 본 일도 없는 불쌍한 척추 뼈를 상하게 하니까 기가 막히지 뭡니까?

노라 그래요, 그것이 가장 슬픈 일이군요.

랭크 (그녀를 유심히 살펴보면서) 흥!

노라 (잠시 뒤) 왜 웃으시는 거죠?

랭크 아니, 웃고 있었던 것은 당신이 아닙니까?

노라 아니에요, 웃은 것은 랭크 선생입니다.

랭크 (일어선다) 당신은 내가 생각했던 것보다도 더 고약하구먼.

노라 저는 오늘 아주 심정이 산란한가 봐요.

랭크 그렇게 보이는군요.

노라 (두 손을 그의 어깨 위에 올려놓고) 이렇게 착하신 랭크 선생이 돌아가셔서는 안 돼요, 톨발과 저를 뒤에 남겨 놓고 말이에요.

랭크 오, 당신네들은 이내 적응하게 될 거예요— 죽은 사람은 곧 잊히기 마련이니까요.

노라 (걱정스런 표정으로 그를 바라본다) 그런 말을 정말 믿으세요?

랭크 사람들이란 새로운 친구를 사귀게 마련이죠. 그리고 그렇게 되면—

노라 누가 새로운 친구를 사귄단 말씀입니까?

랭크 부인과 톨발이 그러리라는 거죠. 내가 죽은 뒤에 말입니다. 내가 보기에는 부인은 이미 새로운 친구를 사귀기 시작한 것 같더군요. 어젯밤 린데 부인은 여기서 뭘 하셨죠?

노라 어머나, 설마 그 불쌍한 크리스티네를 질투하시는 건 아니실 테죠.

랭크 네, 질투하고 있습니다. 이 집안에서 그 여인은 내 자리를 차지하게 될 테니까요. 제가 가 버린 뒤에 그 여인이 그렇게 되리라고 생각해요.

노라 쉬! 그렇게 큰 소리로 말씀하시지 마세요— 그녀가 저기 있어요.

랭크 그것 봐요! 그 여인이 오늘도 또다시 여기 와 있지 뭡니까.

노라 제 의상을 고쳐 주고 있을 뿐이라니까요. 정말 너무하시네. 선생님 머리가 좀 이상해지신 것 같군요, (소파 위에 앉는다) 자아 마음을 차분하게 가라앉히세요, 닥터 랭크, 그리고 내일이면 제가 얼마나 아름답게 춤추나 보시게 될 거예요. 선생을 위해서 춤을 춘다고 생각해도 좋으시다니까요. 물론 톨발도 자기를 위해서 춤춘다고 생각할 테죠. (상자 속에서 여러 가지 물건을 꺼낸다) 자아 이리 와서 앉으세요, 닥터 랭크, 그러면 뭔지 보여 드리겠어요.

랭크 그게 뭐죠?

노라 이리 와서 보세요, 보시라니까요.

랭크 비단 양말 아닌가요.

노라 살빛이에요. 예쁘지 않아요? 지금 여기는 너무 어둡지만 내일이 되면— 안 돼요, 안 돼요, 안 된다니까요. 발끝만 보셔야 해요. 오, 그래요, 당신이니까 나머지도 보아도 되겠어요.

랭크 흥.

노라 어째서 그처럼 야릇한 표정을 짓는 거죠? 필경 저에게는 어울리지 않는다고 생각하고 있는가 보군요?

랭크 뭐라고 말할 수가 없군요, 실물을 보고 있는 게 아니니까요.

노라 (잠시 그를 바라본다) 자신이 창피한 줄을 아세요! (양말로 귀를 때린다) 벌을 받으시라니까요! (양말을 다시 넣는다)

랭크 그 밖에 또 무슨 예쁜 것을 보여 주시겠다는 겁니까?

노라 이제는 아무것도 보여 드리지 않겠어요. 당신 아주 버릇이 좋지 않은걸요. (그녀는 콧노래를 부르면서 자기 물건들을 휘젓고 있다)

랭크 (잠시 침묵을 지킨 뒤에) 여기 이렇게 앉아서 부인과 이처럼 정답게 이야기를 주고받고 있노라니까 내가 찾아올 수 있는 이 집이 없었더라면 내가 지금쯤 어떻게 되었을지 상상할 수가 없군요. 정말 상상도 할 수가 없는 일이에요.

노라 (빙그레 웃으면서) 우리와 함께 있으면 정말 마음이 포근해지시나 보죠.

랭크 (좀 더 조용히 눈앞을 뚫어지게 바라본다) 그런데 이 모든 것을 버리고 가야 하다니!

노라 말도 되지 않는 소리, 그럴 리가 없어요.

랭크 (조금 전과 같은 태도) 더욱이 무엇 하나도 이 세상에 왔다간다는 감사의 표시도 남겨 놓지 못하고 가게 되는 겁니다. 내가 없어졌다는 느낌조차도 남지 않을 겁니다. 내가 없어진 자리는 다른 사람이 금방 채우고 말 테니까요.

노라 만일 제가 지금 당신에게 어떤 일을 부탁한다면? 아니 그럴 수는 없어.

랭크 무슨 말씀이죠?

노라 당신의 우정을 증거할 수 있는 큰 부탁을 할까 했던 거예요.

랭크 좋아요.

노라 아니, 제 뜻은 저를 위한 커다란 은혜를—

랭크 꼭 한 번만이라도 좋으니까, 나에게 그럴 기회를 주신다면 정말 행복하겠습니다.

노라 아, 하지만 선생은 제가 부탁하려는 것이 무엇인지 전혀 모르시잖아요.

랭크 그렇더라도 이야기를 해 주세요.

노라 아뇨, 닥터 랭크, 저는 그럴 수 없어요. 단순한 충고나 도움이 필요한 게 아니라 정말 큰 은혜를 베풀어 주셔야 하는 정말 아주 끔찍한 일이기 때문이에요.

랭크 제가 도와 드릴 수 있는 일이 크면 클수록 더 좋지요. 그게 도대체 무슨 일인지 전혀 짐작도 할 수가 없군요. 그러니 이야기를 해 주세요. 나를 믿지 못하겠어요?

노라 당신보다 더 믿을 수 있는 사람은 아무도 없어요. 나는 알아요, 당신이 나에게 가장 충실하고 제일 친한 친구라는 것을, 그래서 이야기를 하려는 거예요. 그러니까 랭크 선생, 내가 파멸하지 않도록 막아 줌으로써 나를 꼭 도와 주셔야겠어요. 당신도 잘 아실 거예요, 톨발이 믿을 수 없을 정도로 지극히 저를 사랑하고 있다는 사실을. 그이는 나를 위해서라면 조금도 주저 없이 목숨이라도 버릴 분이에요.

랭크 (그녀 편으로 몸을 가까이 기대며) 노라— 당신을 위해서 목숨을 버릴 수 있는 것이 남편뿐이라고 생각하십니까?

노라 (약간 놀라면서) 그야 그이 하나뿐이겠죠 뭐?

랭크 당신을 위해서 기꺼이 목숨이라도 버릴 수 있는 사람이 또 누구겠습니까?

노라 (서글프게) 아!

랭크 나는 죽기 전에 당신에게만은 이야기하려고 속으로 다짐을 했었지요. 그런데 지금이 다시없는 좋은 기회인 것 같군요. 그러니까 노라, 내 말뜻을 아셨죠. 이제는 당신도 내 마음을 아셨으니까 나를 믿으셔도 됩니다. 그 누구보다도 말입니다.

노라 (일어선다. 차분히 가라앉은 태도) 이제 가 봐야겠어요.

랭크 (그녀가 지나가도록 길을 비켜 준다. 여전히 자리에 앉은 채) 노라—

노라 (현관으로 통하는 문 입구에서) 헬레나, 등잔불을 가져와요. (난로 곁으로 간다) 어쩌면 참, 닥터 랭크, 당신은 끔찍스러운 분이군요.

랭크 (일어선다) 제가 다른 누구보다도 더 깊게 당신을 사랑하고 있다는 게 그렇게 끔찍스러운 일일까요?

노라 아뇨, 하지만 그런 말씀을 저에게 하시다니. 그럴 필요는 조금도 없었는데—

랭크 그게 무슨 뜻이죠? 그럼 알고 계셨단 말인가요?

하녀가 등잔을 들고 들어온다. 테이블 위에 올려놓고 다시 나간다.

랭크 노라— 헬멜 부인— 알고 있었느냐고 제가 묻지 않습니까?

노라 아이 참, 그런 것을 몰랐건 또 설사 알고 있었건 그런 이야기를 어떻게 할 수 있겠습니까? 나는 뭐라고 하면 좋을지 정말 모르겠어요. 닥터 랭크, 당신은 어쩌면 그렇게 섬세하지가 못하시죠? 모든 것이 그렇게 잘 되어가고 있었는데.

랭크 어쨌든 내가 당신을 위해서라면 몸과 마음을 다 바칠 수 있다는 것을 아시지 않았습니까. 그러니까 부탁하려던 것이 무엇인지 이야기해 주지 않겠습니까?

노라 (그를 찬찬히 바라본다) 이런 일이 있은 뒤에요?

랭크 제발— 제발 부탁이니 그것이 무엇인지 이야기를 해 주십시오.

노라 이제는 절대로 이야기할 수 없어요.

랭크 제발. 이런 식으로 제게 벌을 주시면 안 됩니다. 나에게 이야기를 해 주신다면 사나이로서 할 수 있는 일이라면 무엇이든지 해서 당신을 돕겠습니다.

노라 이제는 저를 위해서 하실 수 있는 일이라고는 아무것도 없어요. 게다가 한편 생각하면 저는 아무의 도움도 필요 없어요. 모두가 단순한 공상에 지나지 않았던 거예요. 정말이래두요. 거짓말이 아니라니까요. (빙그레 웃는다) 당신은 좋은 분이세요. 닥터 랭크! 등잔불이 켜졌는데 부끄러운 생각이 들지 않으세요 그래?

랭크 아뇨…… 그렇지도 않아요. 그러나 아마 이제는 작별 인사를 해야겠지요. 그러는 게 좋겠어요.

노라 아니에요, 그러시면 안 됩니다. 물론 앞으로도 여느 때와 마찬가지로 여기 오셔야 합니다. 잘 아시잖아요, 톨발이 당신 없이는 못 견딘다는 것을.

랭크 하지만 당신은 어떤가요?

노라 오, 저는 선생을 보면 항상 아주 기분이 좋아지곤 하죠.

랭크 바로 그것이 내가 착각하게 만든 겁니다. 당신은 정말 알 수 없는 분이군요. 나는 가끔가다 생각하곤 했죠. 당신은 남편과 함께 있는 것만큼이나 나와 함께 있기를 좋아한다고요.

노라 아시겠어요, 사람이란 사랑하는 사람도 있지만 그냥 함께 있는 게 좋은 사람도 있는 거예요.

랭크 그래요, 그런 구분이 있나 보군요.

노라 시집오기 전에는 당연히 저는 아빠를 제일 사랑했어요. 하지만 하녀들의 방에 몰래 들어가는 게 언제나 재미있곤 했었죠. 왜냐하면 그들은 항상 재미있는 이야기를 했을 뿐, 저에게 설교라고는 한 번도 해 본 일이 없었으니까요.

랭크 아, 알겠어요. 그러니까 지금은 제가 하녀들 노릇을 대신 하게 되었단 말씀이군요.

노라 (벌떡 일어나서 그에게로 간다) 어머나, 랭크 선생. 저는 전혀 그런 뜻으로 말씀드린 건 아니에요. 하지만 이것만은 확실해요. 톨발과 함께 있다는 것은 아빠와 함께 있는 것과 같다는 것을 보시면 아실 거예요.

하녀가 현관에서 들어온다.

하녀 실례합니다, 마님. (그녀는 노라에게 명함을 건네주면서 뭐라고 소곤거린다)

노라 (명함을 훑어보고) 어머나! (그녀는 명함을 주머니에 집어넣는다)

랭크 무엇이 잘못되었습니까?

노라 아니 아니, 아무것도 잘못된 것은 없어요. 뭐 별일이 아니고……새로운 드레스에 대한—

랭크 하지만? 당신의 드레스라면 저기 있지 않아요?

노라 아! 그건 그렇죠. 하지만 이것은 제가 주문한 또 다른 드레스예요— 톨발이 몰랐으면 하거든요.

랭크 아하! 그게 바로 당신의 커다란 비밀이군요?

노라 그래요, 그야 물론이죠. 톨발한테 가세요— 그이는 가운데 방에 있어요. 방에서 나오지 못하게 해 주세요.

랭크 걱정하실 것 없습니다. 제가 꼼짝하지 못하게 해 놓을 테니까요.

그는 헬멜의 방으로 들어간다.

노라 (하녀에게) 그 사람이 부엌에서 기다리고 있단 말예요?

하녀 그렇습니다, 마님. 뒤쪽 층계로 들어오셨답니다.

노라 하지만 여기 손님이 와 계시다는 이야기는 하지 않았어요?

하녀 말씀드렸지만 소용이 없었습니다.

노라 돌아가려고 하지 않았다는 말이에요?

하녀 마님을 뵙기 전에는 꼼짝하지 않겠다는군요.

노라 그럼 들어오시게 해요. 조용히 말예요. 헬레나, 이 이야기는 아무에게도 해서는 안 돼요. 남편이 알면 깜짝 놀랄 일이니까 말예요.

하녀 네, 잘 알고 있습니다. (그녀는 나간다)

노라 오, 끔찍한 일이야. 결국 일이 터지고 말려나 보다. 아니, 아니, 아니야, 그럴 수는 없어. 어떻게 해서든 막아야 한다!

그녀는 걸어가서 헬멜의 방문을 바깥으로부터 열쇠로 잠근다. 하녀가 변호사 크로그스타가 들어오도록 문을 열고, 이어 닫는다. 그는 여행용인 털외투를 걸치고 장화를 신고 머리에는 털모자를 쓰고 있다.

노라 (그에게로 간다) 작은 소리로 말해 주세요. 주인어른이 집에 계시니까요.

크로그스타 그러지요.

노라 무얼 원하는 거죠.

크로그스타 뭘 좀 알고 싶습니다.

노라 빨리 말씀하세요, 그럼. 알고 싶은 게 무엇이죠?

크로그스타 제가 해고당했다는 것은 알고 계시겠군요?

노라 해고 통지를 보내는 것을 막을 수가 없었어요, 크로그스타 씨. 당신을 위해서 제가 할 수 있는 것은 다했지만 결국 아무 소용이 없었어요.

크로그스타 당신의 남편은 당신을 별로 사랑하지 않는군요, 안 그래요? 내가 당신을 고발할 수 있다는 것을 알면서도 감히 그럴 수 있다니 —

노라 주인이 알고 있다고 생각하시나요?

크로그스타 그렇지요, 아니지요, 나도 정말 그렇게 생각했던 건 아닙니다. 그런 결단성 있는 사나이다운 용기가 저 선량한 톨발 헬멜에게는 어울리지 않는 일이니까요.

노라 크로그스타 씨, 저의 남편에게 실례되는 말씀은 삼가주세요.

크로그스타 그야 물론이지요— 그의 분수에 알맞게 경의를 표하지요. 그러나 부인, 당신이 그렇게 애써서 감추려고 하는 것을 보니, 당신이 하신 일에 대해서 어제보다는 좀 더 잘 이해하신 것이라고 생각해도 좋겠군요.

노라 당신 같은 분이 가르쳐 주신 것보다야 더 잘 알고 있지요.

크로그스타 그렇지요, 저야 이처럼 어리석은 변호사니까요!

노라 도대체 뭘 원하시는 거죠?

크로그스타 단지 부인께서 어떻게 하고 계신가 알고 싶었던 것뿐입니다. 저는 진종일 부인에 대해서 생각을 해 보았습니다. 돈놀이꾼, 엉터리 변호사인, 이를테면 저 같은 위인에게도 친절한 마음이 약간은 있으니까요.

노라 그렇다면 그걸 보여 주세요. 저의 어린 자식들 생각을 해 주세요.

크로그스타 당신이나 주인어른은 제 자식들에 대해서 생각해 주셨던가요? 하지만 그것도 이제는 아무래도 좋습니다. 말씀드리겠습니다만, 이 일에 대해서는 그렇게 심각하게 생각하실 필요는 없습니다. 제 편에서 소송을 일으킬 생각은 없으니까요.

노라 안 하시겠죠. 물론 소송은 안 하시겠지요— 저도 당신이 그러리라고는 생각하지 않았습니다.

크로그스타 모든 일은 원만하게 해결할 수 있습니다. 사람들 앞에 끌어낼 필요는 조금도 없습니다. 우리 세 사람 사이에서 해결할 수 있는 문제니까요.

노라 저의 남편은 이 일에 대해서 절대 알아서는 안 됩니다.

크로그스타 어떻게 비밀을 지킬 수 있다는 것입니까? 아마도 부인께서 나머지 빚을 갚아주시기 전에야 도리가 없지 않습니까?

노라 그야 지금 당장에야 안 되지요.

크로그스타 그렇다면 앞으로 하루 이틀 사이에 돈을 만들어 낼 수 있는 길이라도 찾아내신 게로군요.

노라 그런 가망도 없습니다.

크로그스타 어찌 되었든 그런 것은 아무런 도움이 되지 않습니다. 당신이 여태껏 본 일이 없을 만큼 돈을 내놓는다고 하더라도, 저로부터 그 차용증서를 회수할 수는 없을 테니까요.

노라 그것을 무엇에 쓰실 생각이죠? 이야기해 주세요.

크로그스타 그냥 간직할 겁니다. 내 수중에 지니고 싶을 뿐입니다. 이 문제에 대하여 관계가 없는 사람은 그 누구도 알 필요가 없는 거지요. 그러니까 만일 당신이 절망한 나머지 무엇인가 터무니없는 결심을 하고 계신다면—

노라 결심이야 하고 있지요.

크로그스타 집도 가족들도 다 버리고 도망쳐 버릴 생각이라면—

노라 그럴 생각이에요.

크로그스타 아니면 좀 더 나쁜 것을 생각하고 있던가.

노라 어떻게 그걸 아셨지요?

크로그스타 그런 생각은 그만두시는 게 좋을 겁니다.

노라 내가 그런 생각을 하고 있는 것을 어떻게 아셨죠.

크로그스타 누구나 우선 그것을 생각하게 되는 법이랍니다. 저도 그랬으니까요. 다만 용기가 없었던 것뿐이지요.

노라 (힘없이) 저 역시 그랬었죠.

크로그스타 (안심을 한다) 그래요, 당신도 용기가 없을 것입니다. 있습니까?

노라 아뇨, 저도 없어요, 없다니까요.

크로그스타 게다가 그런 생각을 한다는 것은 아주 어리석은 짓이지요. 고작해야 집안이 잠시 어수선해질 뿐인 거예요. 저는 남편에게 드릴 편지를 갖고 있습니다.

노라 남편에게 모든 이야기를 할 생각이신가요?

크로그스타 가능한 아주 부드러운 말투로요.

노라 (당황한다) 그 편지를 그이가 보아서는 안 된다니까요. 찢어버리세요. 돈은 어떻게 해서든 마련할 테니까요.

크로그스타 실례합니다, 헬멜 부인. 제가 거기에 대해서는 방금 이야기한 걸로 압니다만—

노라 오, 당신에게 빌린 돈에 대한 이야기를 하는 게 아니라니까요. 당신이 주인에게 요구하려는 금액을 말씀해 주세요. 제가 그 돈을 마련하겠습니다.

크로그스타 제가 주인어른에게 돈을 요구하는 것은 아닙니다.

노라 그러시다면 무엇을 요구하는 거죠?

크로그스타 말씀드리지요. 저는 이 세상에서 살아가기 위한 발판을 만들고 싶은 것입니다, 헬멜 부인. 출세를 하고 싶은 것입니다. 주인어른에게 제가 출세하도록 도움을 받아야겠다는 것입니다. 지난 일 년 반 동안 저는 터럭만큼도 정직하지 못한 행동을 한 게 없습니다. 사실 저는 그 동안 아주 어려운 환경 속에서 잘해 보려고 무척 노력을 했습니다. 한 걸음 한 걸음 착실하게 걸어 올라가는 데 만족하고 있었지요. 이제 저는 또다시 바닥까지 끌어 내려졌습니다. 은혜를 베풀어 주어서 다시 제자리로 돌아가는 것만으로는 저는 만족할 수가 없습니다. 저는 출세하고 싶습니다. 아시겠습니까. 은행으로 돌아와— 그전보다 윗자리에 앉고 싶은 것입니다. 당신 남편이 저를 위해서 그 자리를 마련해 주셔야만 하겠습니다.

노라 그이는 절대로 그런 부탁을 들어 주지 않을 거예요.

크로그스타 나는 그가 어떤 사람인지 알고 있습니다— 그는 해줄 겁니다! 거절할 용기 따위는 없으니까요. 일단 제가 그와 함께 일하게 되면 부인은 잘 지켜보십시오! 일 년도 지나기 전에 저는 전무의 오른팔이 될 것입니다. 신탁 은행을 움직이는 것은 톨발 헬멜이 아니라 닐스 크로그스타라는 말을 듣게 될 테니까요.

노라 당신 일생 동안 그런 일은 절대로 일어나지 않을 겁니다.

크로그스타 그러니까 당신이—

노라 그래요, 저는 이제 용기를 갖게 되었습니다.

크로그스타 오, 나를 무서워 떨게 할 수는 없다니까요. 당신과 같이 세상 물정을 통 모르는 부인이—

노라 두고 보시라니까요— 이제 두고 보시라니까요!

크로그스타 아마 얼음 밑으로 들어가시려나 보군요. 차갑고 시커먼 물 속으로 가라앉아서? 그러다 봄이 되면 겨우 물 위로 떠올라, 추하고 누군지도 알 수 없는, 머리털도 몽땅 빠진 그런 모습으로 변하시겠다, 그 말씀이시군요.

노라 나를 협박하려고 해도 소용없습니다.

크로그스타 당신이야말로 위협하려고 해도 소용이 없습니다. 그런 짓을 사람들은 하지 않는 법입니다. 헬멜 부인. 게다가 그렇게 해서 무슨 도움이 된다는 것입니까? 제 주머니 속에 여전히 편지를 간직하고 있다는 것을 아셔야죠!

노라 여전히라뇨? 내가 없는대두요?

크로그스타 잊으셨습니까? 그렇게 된다 하더라도 죽은 뒤의 당신 평판은 제 마음대로 할 수 있다는 것을 아셔야지요.

노라 (그를 멀거니 바라보며 말없이 서 있다)

크로그스타 아셨지요, 이제 경고를 받았으니까 앞으로 바보 같은 짓은 하지 마십시오. 헬멜에게 편지를 보내고 대답을 기다리겠습니다. 기억해 두세요. 저에게 이런 행동을 하게끔 만든 것은 당신 남편이라는 것을. 나는 절대로 그를 용서하지 않을 것입니다. 실례합니다, 헬멜 부인. (그는 현관으로 나간다)

노라 (현관으로 통하는 문에 몸을 기대고 문을 약간 열고 귀를 기울인다) 그는 간다. 편지는 두고 가지 않았구나. 아니 아니야, 그런 일은 절대로 있을 수 없다! (조금씩 문을 연다) 아니 바깥에 그냥 서 있잖아! 층계를 내려가지 않고. 생각을 하고 있는 게 분명하다. 설마?

편지가 우편함 속에 떨어진다. 이어서 크로그스타가 층계를 내려가는 소리가 들린다.

노라 (낮은 신음 소리를 내면서 소파 곁에 놓인 테이블 앞으로 달려간다. 잠시 침묵에 잠긴다) 우편함에 있어! (겁먹은 듯이 현관 쪽 문을 지켜본다) 그래요, 저기 있어요, 오, 톨발……톨발……이제 우리에게는 희망이 없군요!

린데 부인 (드레스를 들고 왼쪽 방에서 나온다) 이제 더 이상은 손볼 게 없어요. 자아 입어 볼래요?

노라 (목쉰 소리로 소곤거린다) 크리스티네, 이리 좀 와 봐요.

린데 부인 (드레스를 소파 위에 내던지며) 왜 그래요? 왜 그렇게 흥분했지요?

노라 이리 오라니까요. 저 편지가 보여요? 저봐요, 저기 우편함의 유리 사이로 보이잖아요.

린데 부인 보이는군요— 그래서요?

노라 저 편지는 크로그스타에게서 온 거예요.

린데 부인 노라…… 당신에게 돈을 빌려 준 것은 크로그스타로군요.

노라 그래요. 그러니 이제는 톨발이 모든 사실을 알게 됐지 뭐예요!

린데 부인 하지만 노라, 내 말을 믿으라니까요, 그것이 당신네들 두 사람에게는 제일 좋은 일이라는 것을.

노라 당신이 모르는 일이 있어요. 내가 가짜 서명을 했거든요.

린데 부인 하느님, 맙소사—

노라 크리스티네, 당신에게 꼭 할 이야기가 있어요. 당신이 내 증인이 되어 주세요.

린데 부인 증인이라니? 나한테 무얼 하라는 거죠?

노라 만일에 말이에요. 내가 미치게 될 경우— 지금 같아서는 그렇게 될 것만 같군요.

린데 부인 노라!

노라 아니면 뭔가 다른 일이 생겨서 내가 여기 없게 될 그런 경우가 생기면 말이에요.

린데 부인 노라, 노라, 당신 제정신이 아닌 게 분명해요!

노라 그러니까 나 아닌 다른 누군가가 모든 죄를 자기 혼자서 뒤집어쓰려고 할 경우에는 증인이 되어 달라는 거예요. 내 말 아시겠죠?

린데 부인 그러죠…… 하지만 어떻게 그런 생각을 할 수가 있죠?

노라 그런 일이 생길 경우에는 당신이 증인이 되어서 그렇지 않다는 증언을 해 주어야 해요, 크리스티네. 나는 완전히 제정신이고 내가 지금 무엇을 하고 있는지 똑똑히 알고 있다니까요. 당신에게 분명하게 이야기할게요. 그 일에 대해서는 다른 아무도 알지 못한다는 것, 내가 혼자서 한 일이라는 것을 잘 기억해 달라는 거예요.

린데 부인 물론 그렇게 하겠어요. 하지만 어떻게 된 영문인지를 모르겠군요.

노라 어떻게 당신이 이것을 이해하겠어요? 우리는 기적이 일어나는 것을 보게 될 거예요.

린데 부인 기적이 일어난다고요?

노라 그래요, 기적이죠. 하지만 아주 무서워요, 크리스티네, 일어나서는 안 돼요. 어떤 일이 있어도 그런 일이 일어나서는 안 된단 말이에요.

린데 부인 크로그스타한테 가서 똑바로 이야기를 해야겠어요.

노라 아니에요, 그 사람한테 가면 안 돼요, 그는 틀림없이 당신에게 해를 끼칠 거예요.

린데 부인 그 사람이 나를 위해서라면 무슨 일이라도 할 수 있었던 그런 시절이 있었답니다.

노라 크로그스타가요?

린데 부인 어디 살고 있죠?

노라 그걸 어떻게 내가 알겠어요? 가만— (주머니 속을 더듬는다) 여기 명함이 있어요. 하지만 편지, 편지가!

헬멜 (자기 방에서 문을 두드리며) 노라!

노라 (깜짝 놀라 외친다) 왜 그러시죠? 무슨 일 때문이죠?

헬멜 좋아요, 하나도 놀랄 것 없어요. 우린 들어가지 않아요. 문을 잠갔구려. 드레스를 갈아입는 중이요?

노라 그래요, 지금 옷을 갈아입는 중이라니까요. 입어 보니 아주 잘 어울리는 것 같아요, 헬멜.

린데 부인 (명함을 읽고) 바로 이 근처에 살고 있네요.

노라 그래요, 하지만 아무 소용이 없어요. 이젠 희망이 없어요. 편지가 우편함 속에 들어 있거든요.

린데 부인 당신 남편이 그 열쇠를 갖고 있군요!

노라 열쇠는 항상 그이가 지니고 있어요.

린데 부인 편지가 읽히기 전에 크로그스타에게 다시 편지를 찾아가게 해야겠어요. 그는 틀림없이 무언가 구실을 찾아낼 거예요.

노라 하지만 지금이 톨발이 편지통을 여는 시간인 걸요.

린데 부인 주인한테 가서 시간을 끌어 봐요. 되도록 빨리 돌아올 테니까요. 자아 남편한테 가 보라구요. (그녀는 빠른 걸음으로 밖으로 나간다)

노라 (헬멜의 방문 앞으로 가서 문을 열고 안을 들여다본다) 톨발.

헬멜 (방 안에서) 자아 이제 겨우 우리 집 거실에 다시 들어갈 수 있게 되었구려. 따라오게, 랭크. 이제 보여 줄 게 있다니 (문 앞에서) 아니, 어떻게 된 거요?

노라 왜 그러세요, 여보!

헬멜 랭크는 당신이 멋지게 변한 모습을 보여 줄 것같이 이야기를 했는데 말이오.

랭크 (문가에서) 나는 틀림없이 그런 줄 알았는데, 그렇다면 내가 잘못 생각한 게 분명하구먼.

노라 네, 내일까지는 누구에게도 제가 가장한 모습을 보여 주지 않겠어요.

헬멜 그런데 여보, 노라. 당신 몹시 피곤해 보이는데 그래— 너무 연습을 많이 한 게 아니오?

노라 아뇨, 아직 전혀 안 했는 걸요.

헬멜 오, 하지만 연습을 했어야 하지 않소.

노라 그래요, 연습을 해야만 한다는 것은 알고 있어요. 하지만 당신이 도와주시기 전에는 아무것도 할 수가 없답니다, 톨발. 모든 것을 완전히 잊어버렸거든요.

헬멜 아, 이제 곧 전부 생각이 날 거요.

노라 그래요, 저를 도와주세요. 정말이에요, 톨발. 도와준다고 약속해 주세요. 아, 저는 걱정이에요, 많은 사람들 앞에서— 여보 오늘 밤에는 저와 꼭 함께 있어 주세요. 일하시는 것은 전부 그만두고 손에 펜을 드는 것도 안 돼요. 그래 주시겠죠, 네, 톨발!

헬멜 약속하겠소. 오늘 밤에는 몸과 마음을 다 당신에게 바치리다 — 어찌할 바를 모르는 이 딱한 사람아— 음, 그렇군. 한 가지만 먼저— (현관 쪽으로 간다)

노라 거기는 뭐하러 가시는 거죠?

헬멜 편지 온 게 없나 보려는 것뿐이오.

노라 안 돼요, 안 돼요, 보지 마세요, 톨발!

헬멜 왜 봐서는 안 된다는 거지?

노라 제발 가지 마세요, 톨발— 거긴 아무것도 없다니까요.

헬멜 금방 보고 오겠소. (가려고 한다)

노라, 피아노에 가 앉아서 타란텔라의 첫 음절을 연주한다.

헬멜 (문 있는 데서 걸음을 멈추며) 아하!

노라 저는 당신과 함께 연습하지 않으면 내일 춤출 수 없다니까요.

헬멜 (그녀에게로 가까이 간다) 정말 그렇게 걱정이 되오, 노라?

노라 네, 아주 무섭게 걱정이 돼요. 곧 연습을 해요. 저녁 식사까지는 아직 시간이 있어요. 여보 톨발, 앉아서 저를 위해 연주를 해 주세요. 항상 그러하듯이 잘못된 데를 지적해 주고 비평해 주세요.

헬멜 당신이 원하는 것이 그것이라면 기꺼이 해 보리다. (그는 피아노 앞에 앉는다)

상자에서 탬버린을 꺼내고 동시에 커다란 여러 가지 빛깔의 무늬가 그려진 숄을 꺼내어 급히 몸에다 두른다. 그러고는 뛰어나와 방바닥 위에 서면서 외친다.

노라 자아 연주하세요, 춤출 테니까요.

헬멜은 연주를 하고, 노라는 춤을 춘다. 닥터 랭크는 헬멜 뒤 피아노 곁에 서서 보고 있다.

헬멜 (연주하면서) 좀 더 천천히 좀 더 천천히.

노라 이렇게밖에 춤출 수 없는데요.

헬멜 좀 더 부드럽게, 노라.

노라 이렇게 추는 편이 좋다니까요.

헬멜 (연주를 중단한다) 아니야 아니야, 틀렸어, 다 틀렸다니까!

노라 (웃는다. 탬버린을 흔들고) 거보세요, 제가 말한 대로죠?

랭크 나에게 연주하게 해 주세요.

헬멜 (일어선다) 아, 그렇게 해 주게. 그 편이 더 잘 가르쳐 줄 수 있겠네.

랭크는 피아노 앞에 앉아서 연주한다. 노라는 더욱 커지는 격정적인 춤을 춘다. 헬멜은 스토브 곁에 앉아서 입으로 쉴 새 없이 그녀의 춤을 고쳐 주고 있다. 그녀는 남편이 하는 말이 들리지 않는 모양이다. 머리는 흩어져서 어깨에 내려오나 전혀 거들떠보려고도 하지 않고 계속 춤을 추고 있다. 린데 부인이 들어온다.

린데 부인 (문 있는 데서 무엇에 홀린 것처럼 걸음을 멈춘다) 아!

노라 (춤추면서) 재미있어요, 크리스티네!

헬멜 하지만 여보, 노라. 당신 마치 목숨을 걸고 추는 것 같구려.

노라 바로 그렇다니까요.

헬멜 랭크, 그만하게. 정말 미친 사람 같군. 그만두라니까.

랭크, 피아노 연주하는 것을 멈춘다. 노라, 갑자기 춤을 멈춘다.

헬멜 (그녀에게 가까이 간다) 눈으로 직접 보기 전에는 도저히 믿을 수 없었을 거요— 당신은 내가 가르쳐 준 것은 하나도 기억하고 있지 않군 그래.

노라 (탬버린을 내던지며) 보세요, 이제 아셨죠!

헬멜 하여튼 확실히 잘 가르쳐 줄 필요가 있구먼.

노라 그래요. 제가 당신의 도움을 얼마나 필요로 하는지 잘 아셨지요. 끝까지 잘 가르쳐 주셔야 해요— 가르쳐 주시겠다고 약속을 해 주세요. 토발!

헬멜 틀림없이 나를 믿어도 좋을 거요.

노라 오늘과 내일 하루 종일, 당신은 오직 제 생각만 할 뿐, 다른 생각을 해서는 안 된단 말씀이에요. 어떤 편지도 피봉을 뜯어서는 안 되고요— 우편함도 열어서는 안 된단 말씀이에요.

헬멜 아, 당신은 아직도 그 사나이를 두려워하고 있군그래.

노라 네, 그래요. 그것도 사실이죠.

헬멜 노라, 당신의 얼굴을 보면 알 수가 있소. 녀석한테서 이미 편지가 와 있다는 사실을.

노라 그럴 수도 있겠죠— 저는 모르겠어요. 하지만 지금 그런 편지 같은 것을 읽어서는 안 된다니까요. 전부 끝날 때까지는 우리들 사이에 끔찍한 일이 일어나게 해서는 안 된단 말씀이에요.

랭크 (헬멜에게 조용히 말한다) 그녀를 흥분시키지 않는 게 좋을 것 같네.

헬멜 (그녀를 팔에 안으며) 당신 좋을 대로 하구려. 하지만 내일 밤, 당신의 춤이 끝난 뒤에는.

노라 그 때는 당신은 자유라니까요.

하녀 (오른쪽 문 입구에서) 마님, 저녁 식사 준비가 되었습니다.

노라 헬레나, 샴페인도 꺼내도록 해요.

하녀 알겠습니다, 마님!

헬멜 자아 이러면— 우리는 아주 호화판 식사를 하게 되는 게 아뇨!

노라 내일 새벽까지 쭈욱 샴페인 파티를 여는 거예요. (하녀를 부른다) 그리고 마카론도 조금 헬레나— 아니 많이 내놓도록 해요, 이번 한 번뿐이니까.

헬멜 (아내의 두 손을 잡는다) 자아 자아 진정하라구! 그렇게 흥분해서 거칠어져서는 안 된다니까. 자아 다시 나의 귀여운 종달새가 되어 주지 않겠소.

노라 오, 그래요, 그럴게요. 그러나 지금은 식당으로 가십시다. 닥터 랭크도요. 크리스티네, 머리를 매만지는 것을 좀 도와주세요.

랭크 아무 일도 없었나요? 제 말은 무슨 일이 일어나리라고 걱정하고 있었던 것 같은데……

헬멜 원 그게 무슨 당치도 않은 소린가, 내가 이야기하지 않았던가, 아내는 애들처럼 좀 지나치게 흥분하고 있는 것뿐이라네.

그들은 무대 오른쪽으로 사라진다.

노라 어떻게 되었죠?

린데 부인 시골에 가고 없더군요.

노라 얼굴 보고 그런 줄 알았어요.

린데 부인 내일 저녁까지는 돌아온다는군요. 그래서 편지를 써 놓고 왔어요.

노라 그렇게 하지 않아도 좋았을 텐데. 무엇 하나 그만두게 할 수가 없어요. 게다가 사실은 놀라운 기적이 일어날 것을 기다리고 있다고 생각하니까 온몸이 떨릴 것같이 기쁘군요.

린데 부인 무엇을 기다리는 거죠?

노라 당신은 알 수가 없어요. 자아 가세요, 나도 곧 갈 테니까.

린데 부인이 식당으로 사라진다.

노라 (정신을 가다듬으려는 것처럼 잠시 그 자리에 우두커니 서 있다가 손목시계를 본다) 밤 열두시까지 일곱 시간이 남았구나. 그러니까 내일 자정까지는 스물 네 시간. 그 때 타란텔라는 끝난다. 스물 네 시간 더하기 일곱이니까 서른 한 시간의 목숨이 남아 있는 셈이구나.

헬멜 (오른쪽 문 앞에서) 무얼 하고 있는 거요. 귀여운 종달새는?

노라 (두 팔을 쫙 벌리고 그에게로 가며) 종달새는 여기 있답니다!

3막

같은 방. 소파, 테이블과 주위의 의자들은 방 한가운데로 옮겨져 있다. 테이블 위에는 등잔불이 켜져 있다. 현관으로 통하는 문은 열려진 채 위층에서는 댄스 음악이 들려온다.

린데 부인이 건성으로 책 페이지를 넘기고 있다. 읽으려고 애쓰지만 집중이 되지 않는 모양이다. 두서너 번 긴장된 얼굴로 문 바깥쪽에 귀를 기울인다.

린데 부인 (손목시계를 본다) 아직도 오지 않는구나. 이제 시간 여유가 얼마 없는데— 만일 오지 않는다면— (또다시 귀를 기울인다) 아, 오는구나. (현관쪽으로 가서 살그머니 바깥문을 연다. 층계를 올라오는 가벼운 발자국 소리가 들린다. 그녀가 가만히 속삭인다) 들어오세요— 여기는 아무도 없어요.

크로그스타 (문 있는 데서) 집에다 써놓으신 편지 보았습니다.

린데 부인 당신하고 꼭 해야 할 이야기가 있었거든요.

크로그스타 오, 그런데 그게 꼭 이 집에서 만나서 해야 할 이야기입니까?

린데 부인 저 있는 곳은 안 돼요. 제 방 출입구는 전용이 아니거든요. 자아 어서 들어오세요. 우리 말고는 아무도 없으니까요. 하녀는 잠들었고 헬멜 부부는 이층에서 춤을 추는 중이거든요.

크로그스타 (방 안으로 들어온다) 그래요? 오늘 밤, 헬멜 부부가 춤을 추고 있다고요? 그게 정말입니까?

린데 부인 정말이라니까요. 왜 춤을 추면 안 되나요?

크로그스타 그렇죠— 안 될 것은 없지요.

린데 부인 자아 그럼 우리 이야기 좀 해요.

크로그스타 당신과 나 사이에 아직도 뭐 이야기할 게 남아 있었던가요?

린데 부인 많이 있지요.

크로그스타 나는 그렇게 생각하지 않았는데요.

린데 부인 그거야 당신이 저에 대해 한 번도 제대로 이해해 본 일이 없기 때문이지요.

크로그스타 한 냉정한 여인이 한 사나이를 버리고 좀 더 돈 있는 사람에게로 몸을 팔아 버린, 아주 단순하기 그지없는 일 외에 또 뭐 이해할 만한 일이 있었단 말입니까?

린데 부인 당신은 정말 진정으로 제가 그렇게 냉정한 여자라고 생각하고 계신가요? 당신과 헤어지는 게 그렇게 쉬운 일이었다고 생각하고 계신가요?

크로그스타 그게 아니라는 이야기입니까?

린데 부인 닐스, 당신은 정말 그렇게 생각하고 계신가요?

크로그스타 그렇지 않다면 어째서 그 때 그런 편지를 써 보낸 겁니까?

린데 부인 다른 도리가 없었지 뭐예요? 당신과 헤어지지 않을 수 없게 된 이상, 당신이 나에 대해 갖고 있는 감정을 완전히 없애 드리는 게 저의 의무였지요.

크로그스타 (두 주먹을 불끈 쥔다) 그랬었군요? 당신이 한 것은 모두가 돈 때문이었군요?

린데 부인 그 무렵, 저에게는 자리에 누워 계신 어머니와 두 어린 남동생이 있었다는 사실을 잊으시면 안 됩니다. 닐스, 우리는 당신만 바라보고 기다리고 있을 수가 없었어요. 더욱이 그 무렵의 당신에겐 장래에 대한 전망도 시원치 않았단 말이에요.

크로그스타 설사 그랬다 하더라도 다른 사람 때문에 나를 버릴 권리는 당신에게 없었소.

린데 부인 그럴 권리가 있는지 없는지 저 자신에게 물어 본 것도 여러 번이었지만…… 결국 알 수 없었어요.

크로그스타 (보다 부드러운 어조로) 당신을 잃었을 때, 나는 마치 밟고 있던 땅이 꺼지는 것 같았다오. 지금의 나는 난파선에 매달려 있는 사람이나 다름없다오.

린데 부인 구조선이 가까이 오고 있을 거예요, 틀림없이.

크로그스타 구조선은 가까이 와 있었소— 그런데 당신이 나타나 그 사이에 파고들어온 것이오.

린데 부인 닐스, 정말 몰랐던 일이에요. 제가 얻은 은행의 일자리가 당신의 것이었다는 사실은 오늘 처음 듣고 안 겁니다.

크로그스타 내 당신의 말을 믿으리다. 그러나 그걸 안 지금은 어째서 그 자리에서 물러나려고 하지 않는 거죠?

린데 부인 아니에요. 그렇게 해 보았자 당신에게는 아무런 도움도 되지 않는다니까요.

크로그스타 아니, 도움이 되고말고, 도움이 된다니까, 나 같으면 그 자리에서 물러날 겁니다.

린데 부인 저는 행동하기 전에 생각하는 것을 배웠답니다. 인생과 쓰디쓴 경험이 그것을 가르쳐 주었죠.

크로그스타 인생은 나에게 번지르르한 말은 믿을 게 못 된다는 것을 가르쳐 주었지요.

린데 부인 그렇다면 인생은 당신에게 많은 교훈을 준 게 분명하군요. 그럼 행동에 대해서는 당신도 틀림없이 믿으시겠군요?

크로그스타 도대체 무슨 말을 하려는 겁니까?

린데 부인 당신은 난파선 활대에 매달려 있는 사나이와 같다고 말씀하셨죠?

크로그스타 내가 그렇게 말할 수 있는 충분한 이유가 있습니다.

린데 부인 저도 배가 난파되어 활대에 매달려 있는 여자와 마찬가지 신세랍니다.— 슬퍼해 줄 사람도 돌봐 줄 사람도 없는 처지랍니다.

크로그스타 그거야 당신 자신이 선택한 길이 아니겠소.

린데 부인 그때는 그밖엔 다른 방법이 없었어요.

크로그스타 그래서요?

린데 부인 닐스……가령 말이에요. 지금 우리들 난파한 사람들끼리 서로 힘을 합할 수 있다면 어떻겠어요?

크로그스타 그게 무슨 뜻이요?

린데 부인 한 활대에 두 사람이 함께 매어달리는 편이 따로따로 혼자 떠도는 것보다야 낫지 않겠느냐 하는 거예요.

크로그스타 크리스티네!

린데 부인 무엇 때문에 제가 이 고장을 찾아왔다고 생각하시죠?

크로그스타 당신 정말 내 생각을 하고 있었단 말이요?

린데 부인 저는 일을 해야만 합니다. 그렇지 못하면 살아가는 괴로움을 견딜 수가 없을 거예요. 지금까지 저는 줄곧 일만 해 왔어요. 일하는 것이 유일한 기쁨이었거든요. 하지만 지금은 이 세상에 혼자 외톨박이가 되고 말았어요. 갈 바를 모르는 완전히 텅 빈 기분이에요. 저 자신을 위해서 일하는 것은 하나도 기쁘지가 않답니다. 내가 일해 드릴 수 있는 사람들을 갖게 해 주세요, 네.

크로그스타 그런 말은 믿을 수가 없소이다. 자기 자신을 제물로 바치고 싶다는 것은 히스테리컬한 여인이 흥분해서 하는 소리니까요.

린데 부인 과거에 단 한 번이라도 내가 히스테리 부리는 것을 보신 일이 있습니까?

크로그스타 그럼 정말 진심으로 그렇게 할 수 있다는 거요? 이야기해 주시오. 나의 지난날에 대해서 모두 알고 있는지.

린데 부인 네, 알고 있어요.

크로그스타 여기서 내 평판이 어떻다는 것도 알고 있단 말이요?

린데 부인 조금 전에 당신은 만일 저와 함께 살게 되었었다면 지금과는 틀린 사람이 되어 있을 거라는 이야기를 하고 싶었던 게 아니었던가요?

크로그스타 그렇다고 확신하오.

린데 부인 지금부터라도 가능할까요?

크로그스타 크리스티네! 당신 지금 정말 진정으로 하는 소리요? 그렇구먼, 얼굴을 보니 진정인 것을 알 수가 있어. 그러면 당신은 정말 그럴 용기가 있단 말이요?

린데 부인 나는 누군가의 어머니가 될 필요가 있고요, 당신의 아이들은 어머니가 필요해요. 당신과 나는 서로 필요한 존재고요. 저는 당신을 믿어요, 진짜 당신을 믿는단 말이에요. 닐스, 당신하고라면 저는 어떤 고생이라도 참고 살아갈 수 있어요.

크로그스타 (그녀의 두 손을 움켜쥔다) 고맙소— 정말 고마워, 크리스티네. 앞으로 나는 다른 사람들의 눈에도 훌륭한 사람이 되어 보이겠소. 아, 그래, 잊고 있었어—

린데 부인 (귀를 기울인다) 쉬! 타란텔라, 가세요, 빨리!

크로그스타 어째서? 왜 그러죠?

린데 부인 위에서 춤추는 소리가 들리지 않으세요? 춤이 끝나면 곧 그들은 이리로 모두 내려올 거예요.

크로그스타 아, 그렇구나. 나는 돌아가는 편이 좋겠소. 하지만 이제는 모두가 끝난 거요. 당신은 물론 모르겠지만, 나는 헬멜을 해치는 짓을 저지르고 말았다오.

린데 부인 아니에요, 닐스, 저는 다 알고 있다니까요.

크로그스타 그런데도 당신은 아직도 용기가 있단 말이요?

린데 부인 저는 너무나 잘 알고 있어요. 얼마나 절망했으면 당신 같은 사람이 그런 짓을 하게끔 되었나 하는 것을.

크로그스타 오, 내가 벌인 짓을 되돌릴 수만 있다면 얼마나 좋겠소!

린데 부인 당신은 그렇게 할 수 있어요— 당신의 편지는 아직도 우편함 속에 들어 있으니까요.

크로그스타 그게 확실하오?

린데 부인 틀림없다니까요, 하지만—

크로그스타 (그녀를 떠보듯이 뚫어지게 본다) 그렇구나, 어떤 비싼 대가를 치러서라도 친구를 구하고 싶은 게로구나. 그렇지 않소? 솔직하게 이야기해 봐요— 그렇죠?

린데 부인 닐스, 한 번 남을 위해서 자기 몸을 판 사람은 두 번은 그런 짓을 하지 않는 법이에요.

크로그스타 편지를 돌려 달라고 해야겠소.

린데 부인 아니에요, 그러면 안 돼요!

크로그스타 예, 그렇게 해야겠군요. 헬멜이 내려올 때까지 여기서 기다렸다가 편지를 돌려 달라고 해야겠어요. 저의 해고에 대해서 쓴 것이니— 읽을 필요가 없다고—

린데 부인 아니에요, 닐스, 편지를 돌려 달라고 해서는 안 됩니다.

크로그스타 하지만 당신이 나를 이리로 오게 한 까닭이 바로 그 때문이 아니었던가요?

린데 부인 네, 처음에는 경황이 없어서 그렇게 생각했던 게 사실이에요. 그러나 지금 하루 해가 다 지나도록 함께 있는 동안에 나는 도저히 믿을 수 없는 일이 이 집안에서 일어나고 있다는 것을 분명히 알게 되었어요. 헬멜은 모든 이야기를 다 알아야만 합니다. 이 지저분한 비밀은 밝은 햇빛 아래 밝혀져야만 합니다. 그렇게 해야만 저 두 부부 사이에 완전한 이해가 성립되는 거예요. 그렇게 감추는 게 많고 거짓 변명을 늘어놓고 있는 동안에는 부부 사이에 완전한 이해란 불가능하니까요.

크로그스타 매우 좋은 생각이오, 당신이 모험을 할 생각만 있다면야…… 그러나 내가 할 일도 한 가지 있소. 곧 실행에 옮겨야겠소.

린데 부인 (귀를 기울이며) 가세요— 빨리! 춤이 끝났어요— 더 이상 우리는 여기 있을 수 없어요.

크로그스타 아래에서 당신을 기다리고 있겠소.

린데 부인 그래 주세요. 저를 집에까지 데려다 주시고요.

크로그스타 크리스티네, 여태껏 이렇게까지 행복해 본 일은 없었소. (그는 현관문으로 나간다. 방과 현관 사이의 문은 활짝 열려

있다)

린데 부인 (방 안을 좀 치우고, 모자와 외투를 입을 차비를 차린다) 이렇게 달라질 수가 있을까— 어쩌면 이럴 수 있을까! 일해 줘야 할 사람이 있다는 것, 삶에 대한 보람을 느낄 수 있다는 것, 보살펴야 할 가정이 생겼으니 가정이 편안하도록 만들어야겠다. 오, 빨리들 내려와 주면 좋겠는데— (귀를 기울인다) 아, 저기 오는군, 떠날 준비를 해야겠구나.

모자와 외투를 집어 든다. 헬멜과 노라의 목소리가 바깥에서 들린다. 문이 열리고 헬멜이 거의 떠밀다시피 노라를 방으로 끌어들인다. 그녀는 이탈리아 의상을 입고 커다랗고 검은 숄을 걸치고 있다. 그는 야회복에다가 앞이 터진 검은 도미노를 입고 있다.

노라 (다시금 문 앞에서 실랑이를 한다) 아니 아니, 들어가지 않겠어요— 나는 이층으로 다시 올라가고 싶어요. 이렇게 빨리 그만두고 싶지 않아요.

헬멜 그러나 노라, 이봐요—

노라 네, 부탁이에요, 톨발 제발 부탁이에요. 한 시간만 더요, 네.

헬멜 단 일 분도 안 되겠소, 귀여운 노라. 약속하지 않았소. 자아 방으로 들어가요. 이런 데 서 있다가는 감기 들겠소.

싫어하는 그녀를 그는 정답게 방 안으로 데리고 들어온다.

린데 부인 안녕하세요.

노라 크리스티네!

헬멜 웬일이시죠, 린데 부인— 이렇게 밤이 늦었는데?

린데 부인 네, 용서해 주세요, 하지만 노라가 의상을 입은 걸 보고 싶어 견딜 수가 있어야지요.

노라 여기 앉아서 저를 기다리고 있었나요?

린데 부인 그렇다니까요, 제시간에 대어서 오지를 못했었나 봐요. 벌써 이층에 올라가셨더군요— 하지만 당신을 보기 전에는 정말 돌아가고 싶지가 않았답니다.

헬멜 (노라의 숄을 벗긴다) 그래요, 자세히 보세요! 정말 볼 만한 가치가 있다고 생각합니다. 사랑스럽지 않습니까, 린데 부인?

린데 부인 정말 그렇군요.

헬멜 굉장히 사랑스러워요, 안 그래요? 무도회에서도 모두들 그렇게 말했죠. 한데 이 사람은 지독한 고집쟁이지 뭡니까. 글쎄 어떻게 했는지 아십니까? 거의 강제로 끌고 온 거랍니다.

노라 아, 톨발, 삼십 분이라도 더 춤출 수 있게 해 주지 않은 것을 틀림없이 후회하게 될 거예요.

헬멜 이 사람 이야기를 들어 보시라니까요. 이 사람은 타란텔라를 추어서 우레와 같은 박수를 받았습니다. 분명히 그럴 만한 가치는 있었던 겁니다. 하기야 표현에 좀 꾸민 것 같은 점이 있었는지도 모르죠, 엄밀히 말하자면, 예술적이라고 하기에는 너무 꾸민 데가 많았다는 결점이 있기는 했어요. 그러나 그런 것은 아무래도 좋은 일이죠! 중요한 것은 큰 갈채를 받았다는 사실이지요. 우레와 같은 박수, 그런 뒤에도 홀에 머물러 있어야 하나요? 그리하여 모처럼의 효과를 소용없게 만든다? 당치도 않은 말씀이지요. 나는 이 작고 귀여운 카프리 처녀를— 이 변덕스러운 작은 카프리 처녀를 이를 테면— 품안에 안고 재빨리 홀을 지나 사방팔방에 머리를 숙여 인사를 하고— 마치 소설 속에 나오는 장면처럼 말입니다— 아름다운 환상은 사라져 버린 것입니다. 끝은 항상 효과적이어야만 합니다. 린데 부인, 그런데 이런 사실을 노라에게 알려 주는 게 전혀 불가능하군요. 여기는 아주 따뜻하군, (도미노를 의자 위에 내던지고 자기 방문을 연다) 아니 이거야, 아주 캄캄하잖아, 오, 참 그렇지, 그럴 수밖에 없지…… 실례합니다.

그는 방 안으로 들어가 촛불을 켠다.

노라 (재빨리 숨을 죽여 속삭인다) 그래서 어떻게 되었죠?

린데 부인 (부드럽게) 그이와 이야기했어요.

노라 그래요?

린데 부인 노라, 당신은 남편에게 모든 이야기를 해야만 합니다.

노라 (힘없이) 그래야 할 줄 알아요.

린데 부인 크로그스타에 대해서는 하나도 걱정할 게 없어요. 하지만 남편에게는 꼭 이야기를 해야만 합니다.

노라 나는 절대로 이야기하지 않겠어요.

린데 부인 그럼 편지가 이야기해 주겠지요.

노라 고마워요, 크리스티네. 이제는 내가 무얼 해야만 할지 알고 있어요. 쉬!

헬멜 (다시 방 안으로 들어온다) 어떻습니까, 린데 부인. 감상은 끝나셨나요?

린데 부인 네, 그럼 저는 이제 그만 작별 인사를 해야겠어요.

헬멜 아니 벌써 가시려고? 이 편물은 부인 것이 아닌가요?

린데 부인 (받는다) 오, 맞아요, 고맙습니다. 하마터면 잊고 갈 뻔 했군요.

헬멜 뜨개질을 하십니까?

린데 부인 네, 그렇습니다.

헬멜 부인은 그보다는 자수를 하시는 편이 좋으실 텐데.

린데 부인 오? 왜 그렇죠?

헬멜 그렇게 하시는 편이 훨씬 더 품위가 있으십니다. 보십시오, 자수하는 천을 이렇게 왼손에 들고 오른손을 써서— 이런 식으로— 천천히 긴 커브를 그린다. 우아하지 않습니까?

린데 부인 그럴지도 모르겠군요.

헬멜 그런데 뜨개질은 언제 보아도 보기 흉하단 말씀입니다. 그렇지 않습니까? 두 팔을 꿈틀거리면서— 뜨개질바늘이 오르락내리락하는 게 꼭 중국인 같단 말씀입니다— 오늘 밤 마신 샴페인은 정말 훌륭했어요.

린데 부인 자아 그럼 안녕히들 주무세요. 그리고 노라도 더 이상

쓸데없는 고집부리지 말아요.

헬멜 린데 부인, 그것 참 좋은 말씀해 주셨습니다.

린데 부인 안녕히 주무세요, 미스터 헬멜.

헬멜 (그녀를 문 앞까지 전송하면서) 안녕히 가세요, 안녕히. 살펴 가세요. 모셔다드렸으면 참 좋겠지만…… 뭐 댁까지 그렇게 먼 것도 아니니까, 안 멀죠? 안녕히 가세요. (그녀는 떠난다. 그는 문을 닫고 들어온다) 제기랄, 영 안 가는 줄만 알았지 뭔가. 넌덜머리나게 재미없는 여자야.

노라 톨발, 당신 많이 피곤한 건 아녜요?

헬멜 아아니, 전혀.

노라 졸리지도 않고요?

헬멜 천만의 말씀, 졸리기는커녕 오히려 기운이 넘쳐흐르고 있다오. 당신은 어떻소? 그렇군, 당신은 몹시 피곤해 보이는데그래— 어찌 된 일이오? 반쯤 졸고 있으니.

노라 그래요, 저는 몹시 피곤해요— 지금 당장 여기 누우면 잠이 들 거예요.

헬멜 그것 보라고— 그것 보라고! 더 이상 있어서는 안 된다고 한 내 말이 얼마나 옳았는지 이제는 알겠구려.

노라 당신은 언제든지 옳아요. 톨발, 무슨 일을 하든 당신은 옳단 말씀이에요.

헬멜 (그녀의 이마에 키스를 한다) 자아 이제야 나의 작은 종달새가 분별 있는 말씀을 하시는군요. 그것은 그렇고, 당신 오늘 밤 랭크가 아주 명랑하던 것을 눈여겨보지 않았소?

노라 오, 그이가 그랬었던가요? 그이하고는 이야기할 기회가 없었는데요.

헬멜 나도 별로 이야기는 하지 않았소. 하지만 오랫동안 그처럼 명랑해진 그를 본 일이 없었다오. (잠시 그는 노라를 바라보다가 가까이 온다) 아, 정말 당신하고 단둘이서 다시 집에 돌아오니 기분이 참 좋구려. 얼마나 당신이 매력적인지 모르겠소. 정말 귀여워 못 견디겠구려.

노라 그런 눈으로 저를 보지 마세요, 톨발.

헬멜 나의 가장 소중한 보배를 보아서는 안 된단 말이요? 이 모든 아름다움이 오직 나에게만 속해 있는데— 바로 나 자신이나 다름없는데 말이요?

노라 (테이블의 다른 쪽으로 돌아간다) 제발 오늘 밤에는 그런 식으로 말씀하지 말아 주세요.

헬멜 (뒤를 따라오며) 당신의 피 속에는 아직 타란텔라가 남아 있구려. 그것이 더욱더 당신을 매력적으로 만드는가 보오. 몸이 오싹해질 정도로. 자아 귀를 기울여 봐요— 파티가 끝나기 시작한 모양이오. (보다 낮은 목소리로) 노라— 이제 곧 집안이 조용해질 거요.

노라 네, 그래 주었으면 좋겠어요.

헬멜 그래, 그렇지, 귀여운 노라, 알고 있소— 내 이야기 좀 들어 보려오. 무도회에서 내가 당신과— 그렇지, 어째서 내가 당신과 그다지 이야기를 하지 않았는지 그 까닭을 알겠소? 나는 떨어진 곳에서 때때로 훔쳐보듯이 당신을 힐끗힐끗 바라다보곤 했소— 어째서 내가 그런 짓을 했는지 그 이유를 알겠소? 그건 말이오, 당신이 나의 남모르는 애인이고 아무도 모르게 약혼한 사이여서 그 누구도 우리 사이가 어떤지 짐작도 하지 못하고 있다고 그렇게 혼자서 상상을 했었던 때문이라오.

노라 오, 그래요, 그래요, 당신이 항상 제 생각만 하고 있다는 것은 저도 알고 있다니까요.

헬멜 그리고 우리가 돌아올 때, 당신의 매끈하고 싱싱한 어깨에— 이 굉장히 섬세한 숄을 어깨에 걸쳤을 때— 나는 생각했다오. 당신은 나의 신부이며, 우리는 결혼식을 끝내고 돌아오는 길이라고, 그리고 처음으로 내 집으로 데리고 온다— 나는 처음으로 당신과 단둘이 있게 된다. 아, 몸이 떨리도록 아름다운 처녀! 저녁나절 내내 나는 오직 당신만을 원하고 있었다오. 당신이 격렬하게 몸을 흔들면서 선정적으로 타란텔라를 춤추는 것을 보고 있노라니까 내 피에는 불이 붙었다오. 나는 더 이상 참을 수가 없었어— 그래서 당신을 이렇게 빨리 집으로 모시고 온 거라오—

노라 아니에요, 톨발, 가세요. 나를 혼자 있게 내버려 두세요— 나는 싫단 말이에요.

헬멜 아니, 무슨 소리를 하는 거요? 그러니까 나의 귀여운 노라는 나를 희롱하는 거요? 싫다니? 나는 당신의 남편이잖소?

바깥문을 두드리는 소리가 들린다.

노라 (소스라치게 놀라며) 들어 보세요!

헬멜 (현관 쪽으로 간다) 뉘시오?

랭크 (바깥에서) 날세— 잠깐 들어가도 괜찮겠나?

헬멜 (화가 난 듯 퉁명스러운 낮은 목소리로) 아니, 지금 이 시간에 어쩌자는 거지? (큰 소리로) 잠깐만 기다리게. (그는 가서 문을 연다) 아, 그렇군, 그냥 지나가지 않고 들러주어서 고마우이.

랭크 자네가 이야기하는 소리가 들리는 것 같더구먼. 그러자 자네가 보고 싶어졌지 뭐겠나! (그는 재빨리 방 안을 휘 둘러본다) 아, 이 그리운 낯익은 방이여, 자네들은 틀림없이 아주 행복하고 편안할 걸세.

헬멜 자네 역시 이층에서 보니 아주 즐거워 보이던데그래.

랭크 기가 막히게 기분이 좋았었네— 왜 나라고 행복하지 말라는 법이 있나. 어째서 이 세상 전부를 손에 넣어서는 안 된다는 건가? 될 수 있는 대로 많이, 또 오래도록 말일세. 술맛도 아주 최고였지.

헬멜 그 중에서도 특히 샴페인이 최고였었네.

랭크 자네 역시 그렇게 생각했었군그래, 안 그런가? 나도 정말 믿을 수 없을 만큼 많이 마셨거든—

노라 토발 역시 오늘 밤에는 샴페인을 굉장히 많이 마셨어요.

랭크 오, 그랬었던가?

노라 그렇답니다. 술을 많이 마신 뒤에는 항상 아주 기분이 좋으시답니다.

랭크 그렇지요. 뜻있는 하루를 보낸 뒤에 즐거운 저녁을 보내서 안 될 이유야 없지 않겠어요?

헬멜 뜻있는 하루를 보낸다, 미안하지만 그것은 나에게는 해당이 안 되는 것 같네그려.

랭크 (그의 어깨를 친다) 그러나 나는 그렇게 말할 수 있다네!

노라 랭크 선생…… 그럼 당신은 오늘 과학 검사를 하신 게로군요.

랭크 바로 맞았습니다.

헬멜 아니 이런 일도 있나, 우리 노라가 과학 검사라는 이야기를 다 하다니—

노라 그래 그 결과에 대해서 축하해도 좋겠어요?

랭크 그래도 좋겠지요.

노라 그럼 결과가 좋았군요?

랭크 의사와 환자가 다 같이 바랄 수 있는 최상의 것— 최종 결정이 나온 것이지요.

노라 (재빨리 훑어본다) 최종 결정이라고요?

랭크 완벽한 최종 결정. 그런 일이 있은 뒤에 하룻밤 즐겁게 지내도 당연한 일이 아니겠어요.

노라 네, 그야 물론 그러셔야죠, 닥터 랭크.

헬멜 나도 아주 동감일세— 다만 다음날 아침에 머리가 아프다는 소리만 하지 않는다면 말일세.

랭크 아, 글쎄, 살아 있는 한 이 세상에서 거저 얻을 수 있는 것은 아무것도 없는 법이라네.

노라 랭크 선생— 당신은 가장 무도회가 퍽 마음에 드셨던 게 아닌가요?

랭크 네, 아주 재미있는 분장이 많았거든요.

노라 그러면 말이죠, 우리 두 사람 다음 번 가장 무도회에서는 무엇이 되면 좋겠다고 생각하시죠?

헬멜 분별이 없구먼— 벌써 다음 일을 생각하고 있다니!

랭크 당신과 나 말씀인가요? 그렇죠, 이야기할 수 있습니다— 당신은 행복의 천사가 되면 좋겠군요.

헬멜 아, 하지만 무슨 의상을 입으면 좋겠나?

랭크 자네 부인은 평상시에 입고 있는 것을 그냥 입고 가면 되네.

헬멜 그것 참 아주 재미있는 생각이군그래. …… 자네가 입을 의상은 무언지 모르나?

랭크 오, 그렇다네, 여보게 나는 이제 분명히 결정했다네.

헬멜 그래?

랭크 다음 가장 무도회 때는 나는 눈에 보이지 않는 사람이 될 것일세.

헬멜 그것 참 묘한 착상을 했군그래?

랭크 커다란 검은 모자— 사람 눈에 보이지 않게 되는 모자 이야기는 자네도 들었겠지? 그것을 머리에 쓰면 아무 눈에도 띄지 않게 되는 것이라네.

헬멜 (웃음이 나는 것을 참으면서) 그렇지, 어쩌면 자네 말이 맞을는지도 모르지.

랭크 그렇군, 내가 여기 찾아온 목적을 깜박 잊고 있었구먼. 헬멜, 엽연초 하나 주겠나, 검은 하바나산(産) 엽연초 말일세.

헬멜 암 기꺼이 드리고말고. (케이스를 내민다)

랭크 (하나 집어 들고 끝을 자른다) 고마우이.

노라 (성냥불을 켠다) 자아 불붙이세요.

랭크 고맙소. (그가 엽연초에 불을 붙이는 동안 노라는 성냥불을 들고 있다) 자아 이제는 작별인사를 해야겠네.

헬멜 잘 가게, 잘 가게.

노라 편안히 주무세요, 닥터 랭크.

랭크 그렇게 말해 주시니 고맙습니다.

노라 저에게도 같은 말을 해 주세요, 네.

랭크 당신에게도요? 좋습니다, 원하신다면— 편안히 주무세요, 그리고 불을 붙여 주셔서 고마웠어요. (그는 두 사람에게 고개를 끄덕이고 떠난다)

헬멜 (낮은 소리로) 상당히 취했는데그래.

노라 (정신없이) 아아 그런가 보죠.

헬멜, 주머니에서 열쇠를 꺼내 현관 쪽으로 간다.

노라 톨발, 거기서 뭘 하시는 거죠?

헬멜 우편함을 비워 놓아야 하오. 거의 꽉 찼다오. 내일 아침에는 신문 들어갈 자리도 없겠소.

노라 오늘 밤에도 일하실 거예요?

헬멜 내가 일하지 않으리라는 것은 당신이 잘 알고 있지 않소. 그런데 이게 뭐지? 열쇠구멍에 무언가 막혀 있는데그래.

노라 열쇠 구멍이 막혀 있다니요?

헬멜 아, 확실히 막혀 있는데. 도대체 무어요? 하녀들이 한 짓 같지도 않은데—? 여기 부러진 머리핀이 있구먼. 노라, 이거 당신 게 아니오—

노라 (재빨리) 아아 아이들이 장난한 게죠.

헬멜 그렇다면 당신이 타일러서 이런 짓을 절대로 하지 않게 해야겠소. 흥— 이제 겨우 꺼냈구나. (편지통 속에 들어 있는 편지들을 몽땅 꺼내고는 부엌 쪽을 향해 소리친다) 헬레나, 헬레나, 현관의 등잔불을 꺼 줘요!

그는 또다시 방에 들어가며 현관으로 통하는 문을 닫는다.

헬멜 (손에 편지를 들고) 이것 보구려. 많이 모였지 뭐요 (쭉 훑어본다) 이건 또 뭐야?

노라 (창문가에서) 편지라고요, 안 돼요, 안 된다니까요, 톨발!

헬멜 랭크가 보낸 명함이 두 장 있구먼.

노라 랭크 선생이요?

헬멜 (명함을 본다) 의학 박사 랭크. 제일 위에 있었던 것을 보니 지금 돌아가면서 넣은 게 분명하구먼.

노라 뭐라고 써 있지요?

헬멜 이름 위에 검은 십자가가 그려져 있군. 보구려, 참으로 불쾌한 장난인데, 마치 자신의 사망 예고를 낸 것 같지 않소.

노라 바로 그거예요. 그는 사망 예고를 보내 온 거라니까요.

헬멜 뭐라고? 여기에 대해서 당신 뭐 알고 있는 게 있소. 당신에게 뭐라고 이야기를 합디까?

노라 네, 명함이 오거든, 우리들에게 작별 인사를 보낸 줄 알라고 했어요. 혼자서 방 안에 누워 죽겠다는 것이었어요.

헬멜 정말 불쌍한 친구로군. 어차피 길지는 못하리라고 생각은 했지만 이렇게 빠를 줄은 몰랐는데— 그러니까 상처입은 짐승처럼 몸을 숨기려는 것이로구먼.

노라 어차피 피할 수 없는 일이라면 아무 말없이 떠나는 게 제일 좋을 거예요, 안 그래요, 톨발!

헬멜 (방 안을 왔다 갔다 한다) 그는 항상 우리들하고 함께 지냈었지. 그가 없는 생활이란 도저히 생각할 수 없군그래. 그의 고통과 고독은 그림자가 되어, 햇빛을 함빡 받고 있는 우리들의 행복을 한층 돋보이게 하고 있었던 거였소. 하기야 이렇게 되는 게 그를 위해서는 제일 좋은 일일지도 모르지. 적어도 그에게 있어서는 말이오. (걸음을 멈춘다) 그리고 우리들에게도 역시 이렇게 된 게 좋은 일인지도 모르지. 노라, 이제 우리는 당신과 나 단둘이 있게 된 거요. (그녀를 한 팔로 끌어안는다) 오, 나의 사랑하는 아내여, 아무리 꼭 끌어안아도 충분한 것 같지가 않구려. 이봐요, 노라— 나는 항상 바라고 있었다오. 어떤 무서운 위험이 당신을 공격해 온다면 나는 당신을 위해서 내가 가진 것을 모두 내던지고, 심지어는 내 목숨까지도 바쳐서 당신을 구할 수 있을 텐데, 하고 말이오.

노라 (남편에게서 몸을 뿌리쳐 빠져 나오며 강하게 단호한 어조로 말한다) 자아 이제 그 편지들을 읽으세요, 톨발!

헬멜 아니, 아니야, 오늘 밤에는 읽지 않겠소. 나의 사랑하는 아내와 함께 있고 싶기 때문이오.

노라 당신의 친구가 죽어 가고 있는데도 말입니까?

헬멜 그렇소, 당신 말이 맞소— 그것이 우리 두 사람의 마음을 모두 어지럽게 한 것 같소. 무언가 추악한 것이 우리들 사이에 끼어들었소— 죽음과 병고에 대한 바로 그 생각이. 우리는 그것을 떨어 버려야만 하오. 그 추악한 것들을 쫓아버릴 때까지는 잠시 서로 멀리하는 게 좋을 것 같구려.

노라 (그의 목덜미에 매어달리며) 안녕히 주무세요, 톨발— 안녕.

헬멜 (그녀의 이마에 키스를 한다) 안녕 노라— 잘 자요, 나의 작은 종달새여. 나는 이제 가서 편지들을 읽어 보아야겠소.

그는 편지 뭉치를 들고 자기 방으로 들어가 문을 닫는다.

노라 (겁에 질린 눈초리로 사방을 더듬다가 헬멜의 도미노를 붙잡고 몸에 걸친다. 빠른 쉰 목소리로 더듬더듬 중얼거린다) 다시는 그이를 만나지 않겠어! 절대로, 절대로 만나지 않겠어! (숄을 머리에 두른다) 그리고 애들 역시 다시는 만나지 않겠어, 절대로 절대로 다시는 만나지 않겠어. 얼음과 같이 차갑고 시커먼 물. 그리고 깊고…… 또 깊은…… 오, 만일 이게 끝나기만 한다면— 바로 지금이야. 그이는 편지를 읽고 있는 거야. 오, 아니야, 아니야 — 아직 안 돼! 잘 있어요, 톨발! 잘 있어, 내 아이들아—

그녀가 현관으로 급히 나가려는 순간, 문이 쾅 소리를 내고 열리며, 헬멜이 손에 피봉 뜯은 편지를 들고 섰다.

헬멜 노라!

노라 (커다란 비명 소리) 아!

헬멜 이게 모두 뭐요! 이 편지에 무엇이 써 있는지 알겠소?

노라 네, 알고 있어요. 가게 해 주세요. 나가게 해 주세요.

헬멜 (그녀를 끌어들인다) 어디로 가려는 거요?

노라 (남편의 손에서 벗어나려고 몸부림친다) 저를 구해 주면 안 돼요, 톨발!

헬멜 (비틀거리면서 한 걸음 뒤로 물러선다) 그게 사실이었군! 그러니까 여기 씌어 있는 것이 모두 사실이었단 말이야. 얼마나 끔찍한 일인가! 아니, 아니, 있을 수 없는 일이야— 그게 사실일 수는 없어!

노라 그건 사실입니다. 저는 이 세상의 그 무엇보다도 당신을 사랑했었거든요.

헬멜 이제 어리석은 변명은 하지 마오.

노라 (그에게로 한 발자국 다가선다) 톨발!

헬멜 바보 같은 여자— 어쩌다 이런 일을 저질렀어?

노라 가게 해 주세요. 당신이 저 대신 책임을 져서는 안 돼요— 저 때문에 당신에게 고통을 줄 수는 없어요.

헬멜 그 따위 값싼 연극은 집어 치웁시다. (현관문을 잠근다) 당신 자신이 모든 것을 설명할 때까지 여기 있어야 하오. 당신이 저지른 일이 어떤 일인지 분명히 알고나 있는 거요? 대답해 보라구! 알고 있소, 없소!

노라 (그를 뚫어지게 바라다본다. 이야기를 함에 따라서 그녀의 얼굴 표정은 굳어진다) 그래요, 이제야 저는 모든 것을 이해하기 시작했어요.

헬멜 (방 안을 왔다 갔다 한다) 얼마나 끔찍스러운 일이냐 말이다. 지난 8년 동안 당신은 나의 기쁨이었고 자랑스러운 아내였소— 그런데 이제 나는 발견한 거요, 그렇게 믿었던 내 아내가 거짓말쟁이 위선자에다가 심지어 고약한 범죄자라는 것을! 오, 이 도저히 입에 담을 수 없는 추악함이여! 우후! (노라는 아무 말없이 뚫어지게 그를 바라볼 뿐이다. 그는 그녀 앞에 걸음을 멈춘다.) 이런 종류의 일이 일어나리라는 것을 미리 알았어야만 했다— 미리 알았어야 했다. 분별없는 당신 아버지의 그 못된 성격— 조용히 하라구! 그 아버지의 분별없는 못된 성격을 그대로 물려받은 것이라구. 믿음도 없고 도덕심도 없고 의무감도 없는…… 그러니까 나는 이제 와서 당신 아버지를 눈감아 준 벌을 받게 된 거야! 나는 당신을 위해서 눈감아 준 거야, 그런데 이렇게 나에게 보답을 한단 말이오!

노라 네, 그러니까 이것이.

헬멜 당신은 나의 행운을 완전히 엉망을 만들어 버리고 말았소. 나의 모든 미래를 망쳐버리고 만 거요! 생각만 해도 끔찍한 일이오. 나는 양심도 없는 사나이의 뜻대로 된 거요. 녀석은 나를 아무렇게나 요리할 수 있게 된 거요. 무엇이나 나에게 요구할 수 있는 거지. 자기 기분 내키는 대로 나에게 명령을 할 수 있는 거요. 그런데 나는 감히 거절을 할 수가 없소. 그러니까 나는 한 분별없는 여자 때문에 초라하게 몰락하게 될 거란 말이오!

노라 제가 이 세상에서 사라져 버리면 당신은 자유의 몸이 될 거예요.

헬멜 제발 그런 속이 빤히 들여다보이는 소리는 하지 마오. 당신 아버지도 언제나 말은 번지르르 했었소. 당신 말마따나 설사 당신이 이 세상에서 자취를 감춘다고 해서 그게 어떻게 나를 도울 수 있다는 거요. 요만큼도 도움은 되지 않소! 녀석은 역시 폭로할 거요. 그렇게 되면 나는 당신의 죄를 알고 있었다고 의심을 받게 될 거요. 사람들은 어쩌면 내가 뒤에서 조종을 해서— 당신에게 그런 짓을 저지르게 했다고 생각할지도 모를 거요! 제기랄 모두가 당신 탓이오. 내가 소중하게 소중하게 대해 온 당신 탓이란 말이오. 당신이 나에게 무슨 짓을 저질렀는지 이제 알아듣겠소?

노라 (조용하고 차가운 어조로) 네.

헬멜 정말 믿을 수 없는 일이오. 영문을 알 수가 없소. 하지만 어떻게 해서든 수습을 해야 하오. 숄을 치워요, 치우라고 하지 않아! 어떻게 해서든지 녀석을 만족시켜야 한다. 이 일은 어떻게든 수습을 해야 해— 당신과 나 사이는 지금까지와 같은 것으로 한다. 물론 세상 사람들 보기에만 그렇게 하는 거요. 당신은 계속해서 이 집에서 산다. 그건 말할 것도 없는 일이오. 그러나 애들의 교육은 더 이상 당신에게 맡겨 놓을 수가 없소. 더 이상 당신을 믿을 수 없기 때문이오. 아, 그처럼 깊이 사랑하던 여자에게 이런 말을 하지 않을 수 없게 된 내 심정이 어떻겠나 생각해 보오. 하기야 지금도 나는…… 아니지, 그건 모두 끝나고 말았소— 또 끝나야 하고, 이제부터는 행복이란 찾아볼 수 없게 된 거요. 우리 집안이 아주 파멸하는 것을 어떻게든 막아 보자는 것뿐인 거요. 아주 박살이 나지 않도록 말이오.

현관에서 초인종 소리가 들린다.

헬멜 (정신을 가다듬는다) 이렇게 밤늦게 무슨 일이지? 좀 더 나쁜 사태가…… 녀석이? 노라 얼른 숨어요, 아프다고 말해요.

하녀 (반쯤 옷을 걸친 채 현관에서) 마님에게 온 편지입니다.

헬멜 이리 줘요. (그는 편지를 받고 문을 닫는다) 그렇군, 녀석한테서 온 편지로군. 당신에게 줄 수는 없어. 내가 읽겠어.

노라 그래요, 읽으세요.

헬멜 (등잔 곁으로 간다) 피봉을 뜯기가 어렵구나— 어쩌면 우리 두 사람은 이것으로써 끝장인지도 모른다. 아니야, 알아야겠어! (급히 피봉을 뜯는다. 몇 줄을 훑어보고 동봉한 종이를 본다. 기뻐서 어쩔 줄 모르는 소리) 노라! (그녀는 수상하다는 듯이 그를 본다.) 노라, 잠깐만, 다시 한 번 읽어 보아야겠소…… 그렇군 사실이구먼. 나는 살았어. 노라, 나는 살았소!

노라 그럼 저는요?

헬멜 그야 물론 당신도 살았지. 우리들은 둘 다 구제된 거야— 당신과 나 둘이 다 말이오. 봐요, 녀석은 당신이 쓴 차용증서를 돌려보냈소. 자기가 한 행동을 뉘우치고 있다고 쓰고 있소…… 그리고 사과를 하고 있소…… 그의 생활에 무언가 행복한 전기(轉機)가 찾아왔다는 게야. 녀석의 말에 대해서는 신경 쓸 것 없소— 우리는 살아난 거요, 노라, 이제는 아무도 당신을 건드릴 사람은 없소. 오, 노라, 노라— 기다려요, 먼저 이 소름끼치는 것들을 모두 없애 버려야겠소. (차용증서를 힐끗 보고) 아니, 쳐다보기도 싫소— 이 모든 것을 그저 하나의 악몽이라고 생각해야겠소. (증서와 두 통의 편지를 갈기갈기 찢어서 스토브 속에 집어넣는다. 그것이 타는 동안 지켜보고 있다) 자아 보구려! 이제 모두 사라져 버렸소! 편지 내용을 보니까 당신은 크리스마스 날 밤부터…… 오, 노라 지나간 사흘 동안이 당신에게는 정말 끔찍했겠소.

노라 지난 사흘 동안, 괴로운 싸움이었죠. 정말 괴롭기 그지없었지요.

헬멜 당신은 얼마나 괴로웠을까— 달리 해결할 방법도 없고 오직 있다면— 아니 그만두겠소. 이 끔찍한 일들을 우리 마음속에서 모두 몰아내 버립시다. 다만 기쁨의 외침을 되풀이할 뿐. 모두 끝났소— 모두 끝난 거요! 잘 들어요, 노라— 당신은 잘 알아듣지 못하는 모양인데 이제 모두 끝난 거요. 왜 그러지? 왜 그렇게 딱딱한 표정을 짓고 있는 거요? 불쌍한 노라, 왜 그러는지 알겠소. 내가 당신을 용서했다는 게 믿을 수가 없는 모양이구려. 그러나 용서한 거요, 노라, 내 맹세하리다, 나는 당신의 모든 잘못을 용서하였소. 이제야 나는 깨닫게 된 거요, 당신이 한 모든 것이 오직 나를 사랑하기 때문에 한 일이라는 것을.

노라 그건 사실이에요.

헬멜 당신은 나를 사랑했소. 아내가 남편에게 가져야 할 올바른 애정을 지니고 있었던 거요. 다만 당신이 하는 일이 어떤 것인지 그것을 이해할 만한 경험이 없었던 것뿐이었소. 그래서 잘못된 방법을 쓴 거요. 그것뿐이오. 그러나 당신이 처신을 좀 잘못했다고 해서 당신이 나에게 덜 소중한 존재가 되리라고 생각하는 거야 아니겠지. 원 당치도 않은 말이오. 나에게 기대기만 하면 되는 거요. 당신에게 충고를 주고 올바르게 인도해 주리다. 이 여자다운 나약함이 두 배나 당신을 매력적이게 하는 것은 사실이오. 그것을 느끼지 못한다면 나는 사나이가 아니지. 처음에 그 끔찍한 일이 닥쳤던 순간에 내가 한 심한 말들은 모두 깨끗이 잊어 주구려. 그 때는 온 세계가 내 눈앞에서 소리를 내면서 무너지는 것 같았소. 나는 당신을 용서했소, 노라, 맹세하오— 나는 당신을 용서한 거요.

노라 용서해 주셔서 감사합니다.

그녀는 문을 지나 오른쪽으로 사라진다.

헬멜 아니 가서는 안 되오. (그는 들여다본다) 거기서 무얼 하려는 거요?

노라 (안에서) 무도회 의상을 벗는 거예요.

헬멜 (열린 문 곁에서) 그게 좋겠군. 마음을 가라앉히고 평온하게 하오, 나의 귀여운 종달새여. 당신은 편안히 쉴 수가 있소. 내 커다란 날개가 당신을 보호해 줄 거요. (그는 문가를 왔다 갔다 한다) 오, 노라, 우리 집이 얼마나 따뜻하고 아늑하오. 여기는 당신의 은신처요. 당신은 내가 독수리의 사나운 발톱에서 상처입지 않게 건져 준 비둘기인 것이오. 불쌍도 하지, 아직도 가슴의 두근

거림이 멎지 않는 모양이구먼. 내가 가라앉혀 주리다, 조금씩……, 노라. 정말이오. 내일 아침이 되면 모든 게 다르게 보이게 될 거요. 모든 것이 다시 그전과 같아지게 될 것이오. 내가 당신을 용서했다는 이야기는 더 이상 할 필요가 없을 게요. 내가 이미 용서했다는 것은 당신도 알고 있을 테니까 말이오. 당신을 내쫓는다, 당신을 책망한다? 그런 것이 내 머리에 떠오를 줄 아오? 아, 당신은 남자의 참마음을 몰라서 그러는 거요, 노라. 남자에게 있어서 아내를 용서했다— 마음속으로부터 용서했다고 스스로 타이르는 것만큼 말로 표현할 수 없을 만큼 달콤한 만족을 안겨주는 것은 다시없단 말이오. 아내는 이중으로 그의 소유가 되는 거요, 그는 아내를 또다시 이 세상에 태어나게 한 것이나 다름없는 것이오. 말하자면 그녀는 아내이며 동시에 자식이 되는 것이오. 당신도 오늘부터는 그렇게 되는 거요. 어린 어찌할 바를 모르는 갓난애, 아무것도 두려워할 것은 없소, 노라. 다만 나에게 솔직하게 마음을 털어놓기만 하면 되는 거요. 나는 당신의 의지와 양심이 되어 주리다— 아니 이게 웬일이요? 자는 게 아니요? 옷을 갈아입었으니?

노라 (평상복을 입고 있다) 네, 톨발. 옷을 갈아입었어요.

헬멜 하지만 어쩐 일이지, 이렇게 밤늦게.

노라 오늘 밤에는 자지 않겠어요.

헬멜 아니 여보.

노라 (손목시계를 본다) 아직 그렇게 늦지 않아요. 앉으세요, 톨발. 당신하고 이야기할 게 많이 있어요.

그녀는 테이블 한쪽에 앉는다.

헬멜 노라— 왜 이러는 거지? 왜 그렇게 딱딱한 표정을 짓고 있는 거요.

노라 앉으세요— 이야기가 길어질 테니까. 당신하고 이야기할 게 많이 있으니까요.

헬멜 (테이블 맞은편에 앉는다) 무슨 일이오, 노라. 나는 통 영문을 알 수 없는데그래.

노라 그래요, 바로 그거예요. 당신은 저를 이해하고 있지 않아요. 그리고 저도 오늘 밤이 되기까지 한 번도 당신을 제대로 이해한 적이 없었어요. 아니에요, 제 이야기를 가로막지 마세요— 제가 꼭 해야만 하는 이야기를 듣기만 하시면 되니까요. 톨발, 이것이 마지막 이야기가 될 거예요.

헬멜 아니 도대체 그게 무슨 뜻이오?

노라 (잠시 침묵을 지킨 뒤) 우리가 지금 이러고 앉아 있는 모습이 어딘지 이상하다는 느낌이 들지 않으세요?

헬멜 아니…… 뭐가?

노라 이제 우리는 결혼한 지 8년이 지났어요. 지금 이 순간이, 당신과 제가 남편과 아내로서 진지한 이야기를 주고받는 첫 시간이라는 것을 깨닫지 못하시느냐고요?

헬멜 진지하다니! 도대체 무슨 뜻으로 하는 소리요?

노라 8년 동안— 아니죠, 그보다 더 긴 세월에 걸쳐서 서로가 알게 된 뒤에 줄곧, 단 한 번도 중요한 문제에 대해 진지하게 이야기를 나눈 일이 단 한 번도 없었다는 거예요.

헬멜 그렇다면 당신은 당신이 알아봐야 아무런 도움이 안 될 그런 골치 아픈 일에 항상 당신을 끌어들였어야 옳았다는 이야기요?

노라 저는 그런 이야기를 하고 있는 게 아니에요. 서로가 마음속까지 털어놓고 이야기해 보겠다는 진지한 마음으로 한자리에 앉아본 일이 우리는 한 번도 없었다는 거예요.

헬멜 하지만 여보 노라, 그것이 당신에게 뭐가 문제라는 거요?

노라 바로 그게 문제라니까요. 당신은 단 한 번도 저를 제대로 이해해 본 적이 없었다니까요. 저는 아주 끔찍스러울 만큼 잘못 취급당한 거예요, 톨발. 처음에는 아빠에게 다음에는 당신에게.

헬멜 아니 뭐라고? 당신 아버지와 내가 당신을 그르쳤다는 거요? 이 세상에서 그 누구보다도 더 지극히 당신을 사랑한 우리 두 사람이.

노라 (머리를 젓는다) 당신들은 한 번도 저를 사랑한 일은 없었어요. 저를 좋아한다 좋아한다 하면서 즐기고 있었던 것뿐이라니까요.

헬멜 노라— 도대체 그걸 말이라고 하오?

노라 그건 사실이에요, 톨발. 아빠와 함께 살았을 때는, 아빠는 무슨 일에 대해서나 당신 생각을 주장했고, 따라서 저도 아빠와 같은 생각을 가졌어요. 만일 제가 다르게 생각했을 때는 저는 아빠 모르게 감추어야만 했지요. 그렇지 않으면 아빠가 싫어했으니까요. 아빠는 저를 그의 작은 인형이라고 불렀지요. 제가 인형과 놀듯이 아빠는 저를 인형 갖고 놀듯이 논 거였어요. 그러다가 저는 당신 집에 와서 살게 되었지요—.

헬멜 우리들의 결혼에 대해서 어찌 그런 말로 표현하는 거요—.

노라 (아랑곳없이) 제 말은 전 아빠의 손을 떠나서 당신에게로 옮겨 왔다는 이야기예요. 당신은 온갖 일을 자기 취미대로 했고요, 따라서 저도 당신과 똑같은 취미를 갖게 되었던 거예요. 아니면 같은 취미를 가진 체했던 거예요. 잘 모르겠군요— 양쪽이 어쩌면 다 사실이겠죠. 어떤 때는 당신과 같은 생각을 갖게 되었고, 어떤 때는 그런 체했을 뿐이었으니까요. 지금 돌이켜 생각해 보면 저의 생활은 초라한 거지로서— 단순히 손에서 입으로 옮겨진 것뿐이었지요. 저는 당신 앞에서 광대 노릇을 하고 그 대신에 밥을 얻어먹고 있었던 것이지요. 그렇다니까요, 톨발. 하지만 당신이 저를 그렇게 만든 거예요. 당신과 아빠는 큰 죄를 저질렀어요. 제가 자라지 못한 것은 당신들 탓이에요.

헬멜 그건 말도 되지 않는 소리야, 노라. 아니 그렇게 은혜를 모를 수가 있어. 당신은 여기서 행복하지 않았단 말이요?

노라 그래요, 행복했던 적은 한 번도 없었지요. 행복하다고 믿고 있었지만 한 번도 행복했던 일이라고는 없었던 게 사실이에요.

헬멜 한 번도…… 행복하지 않았다고?

노라 아니 단지 명랑했을 뿐이에요. 그리고 당신은 항상 저에게 아주 친절했지요. 하지만 우리 가정은 단순한 놀이터에 지나지 않았던 거예요. 여기서 저는 당신의 인형 부인이었죠. 결혼하기 전에 아빠의 아기 인형이었던 것처럼. 그리고 제게는 아이들이 인형이 되어 주었죠. 제가 함께 놀아 주면 애들은 기뻐했어요. 당신이 놀아 주면 저는 아주 즐거웠죠. 그것이 우리들의 결혼생활이었던 거예요, 톨발.

헬멜 당신 말에도 일리가 있기는 하오— 굉장히 과장되긴 했지만. 그러나 이제부터는 고치기로 합시다. 이제 노는 시간은 끝났소, 이제부터는 교육받는 시간으로 해야겠소.

노라 누구를 교육한다는 거죠? 접니까, 아니면 애들입니까?

헬멜 당신과 애들 양쪽 다요, 노라.

노라 아, 톨발, 당신은 저를 당신의 참다운 아내로 교육시킬 수 있는 힘이 없다니까요.

헬멜 어떻게 감히 그런 말을 할 수가 있는 거요?

노라 그리고 저에게— 어떻게 아이들을 교육시킬 수 있는 자격이 있단 말입니까?

헬멜 노라—.

노라 바로 조금 전에 당신 자신이 말씀하셨잖아요. 아이들의 교육은 저에게 맡길 수 없노라고요.

헬멜 그거야 화가 난 순간에 한 소리였소— 그런 말에 대해서 신경을 쓸 게 없대도 그러는구려.

노라 하지만 당신 말씀이 아주 옳아요— 저는 애들을 제대로 교육시킬 자격이 없어요. 그보다는 좀 먼저 꼭 해야 할 일이 있어요. 저 자신을 교육시키는 일이에요. 그리고 당신은 저 자신을 교육시키는 데 도움을 줄 수 있는 분이 아니에요. 그것은 저 혼자서 해내야만 할 일이지요. 그래서 저는 당신에게서 떠나려는 거예요.

헬멜 (벌떡 일어선다) 아니 무슨 말을 하는 거요?

노라 제 자신을 알려면 또 바깥세상을 알려면 제 자신의 힘으로 설 수 있어야만 해요. 제가 더 이상 당신과 함께 여기 있을 수 없는 이유가 바로 그겁니다.

헬멜 노라— 노라.

노라 곧 떠나겠어요. 크리스티네가 오늘 밤은 재워 줄 거예요.

헬멜 당신은 제정신이 아니오. 가게 할 수 없소. 내가 금해요.

노라 당신이 저를 못 가게 해 보았자 더 이상 아무 소용이 없어요. 제 물건만 챙겨 가지고 갈 뿐, 지금이나 앞으로도 당신 것은 아무 것도 갖고 가지 않을 테니까 그런 줄 아세요.

헬멜 정말 미쳤군그래.

노라 내일 집으로 갈 거예요— 제가 예전에 살던 집 말입니다. 그 곳에서 사는 편이 무슨 일을 하든 쉬울 거예요.

헬멜 당신은 장님이오, 아무런 경험도 없으면서—.

노라 경험을 쌓도록 애써야겠어요, 톨발—.

헬멜 하지만 가정을 버린다는 것…… 남편과 자식들을 버린 것에 대해서 세상 사람들이 어떻게 말할지에 대해서는 생각해 보지 않았을 거요.

노라 그런 것에 대해서는 생각해 볼 것도 없어요. 저 자신을 위해서는 이렇게 떠나는 게 꼭 필요하다는 것을 알 뿐이에요.

헬멜 하지만 이건 창피스러운 일이오. 당신의 가장 신성한 의무를 이런 식으로 저버릴 생각이요?

노라 무엇이 저의 가장 신성한 의무란 말입니까?

헬멜 그런 것까지 이야기해 주어야 되겠소? 남편과 아내에 대한 의무가 당신의 의무가 아니라는 거요?

노라 저에게는 또 하나의 그와 똑같은 신성한 의무가 있습니다.

헬멜 그런 의무는 있을 수 없어요. 도대체 어떤 의무를 말하는 거요?

노라 제 자신에 대한 의무죠.

헬멜 다른 모든 것에 앞서서 당신은 아내이며 어머니인 것이오.

노라 그런 것은 더 이상 믿지 않아요. 저는 무엇보다도 먼저 하나의 인간이라는 것을 믿어요— 당신이 하나의 인간인 것처럼 저도 힘자라는 데까지 하나의 참다운 인간이 되려고 노력하겠어요. 저는 잘 알고 있어요, 대부분의 사람들이 당신의 생각에 동의하리라는 것을. 책에도 그렇게 씌어 있더군요. 하지만 저는 더 이상, 대부분의 사람들이 말하거나 책에 씌어져 있는 것에는 만족할 수가 없게 된 거예요. 저는 모든 일에 대해서 제 자신이 생각하여 사물이 지닌 참다운 뜻을 알고 싶어요.

헬멜 당신 자신의 가정에서 당신의 위치가 어떤 것인지 우선 그것부터 이해하는 게 옳지 않을까? 이러한 일들에 대하여 확실한 안내자 노릇을 해 줄 수 있는 게 없단 말이요? 이를테면 당신 신앙 속에 말이오?

노라 아, 톨발, 저는 종교란 무엇인지 정말 모르겠어요.

헬멜 아니 무슨 말을 하는 거요?

노라 저는 한센 목사님이 하신 말씀 외는 아무것도 모릅니다. 목사님은 종교란 이런 것이다 저런 것이다 하고 말씀을 해 주셨어요. 이 모든 번잡한 데서 떠나서 혼자 있게 되면 종교에 대해서도 또한 알아볼 생각입니다.

헬멜 도대체 당신과 같이 젊은 여자의 입에서 이런 이야기가 나온다는 것은 듣도 보도 못하던 일이오. 그러나 종교가 당신의 도움이 되지 않는다면 당신의 양심은 어떻소. 당신도 틀림없이 어떤 도덕심을 갖고 있을 게요. 아니면 내가 잘못 생각한 것일까? 어쩌면 도덕심도 없는지도 모르니까.

노라 글쎄요, 톨발, 뭐라고 대답할 수가 없군요. 저는 전혀 모르겠어요. 모든 일에 대해서 판단이 서지를 않는군요. 제가 지금 알고 있는 것이란 모든 일에 대하여 저는 당신과는 아주 다른 생각을 하고 있다는 것, 그리고 법이란 제가 여태껏 생각했던 것과는 아주 다르다는 것, 그리고 법이 옳다는 것은 아무래도 납득이 되지 않는다는 것만은 확실합니다. 여자에게는 돌아가시게 된 친정아버지에게 걱정을 끼쳐 드리지 않을 수 있는 권리가 없다는 것, 자기 남편의 목숨을 구할 권리가 없다니 말입니다—. 저는 그런 일들을 도저히 믿을 수가 없는 거랍니다.

헬멜 당신은 어린애와 같은 소리를 하고 있소. 자기가 살고 있는 세계가 어떤 것인지 이해를 하고 있지 않은 거요.

노라 그래요, 저는 모르겠어요. 그러니까 그것 역시 이제부터 배우겠어요. 이 사회가 옳은지 제가 옳은 생각을 한 것인지 반드시 알아내고 말겠어요.

헬멜 노라, 당신은 앓고 있는 거요. 당신은 열병을 앓고 있어. 거의 머리가 돌았다고밖에 생각이 되지 않는구려.

노라 오늘 밤처럼 모든 일에 대해서 이처럼 선명하고 확실하게 본 일이라고는 한 번도 없었는 걸요.

헬멜 그럼 아주 맑디맑은 정신으로 당신은 남편과 자식을 버리는 거요?

노라 그렇다니까요.

헬멜 그렇다면 그것을 설명할 수 있는 이유란 꼭 하나밖에 없구려.

노라 뭐죠?

헬멜 당신은 더 이상 나를 사랑하고 있지 않은 게야.

노라 그래요, 바로 그래요.

헬멜 노라— 어떻게 당신은 그런 말을 할 수가 있소?

노라 정말 저도 괴로워요, 톨발. 왜냐하면 당신은 언제나 저에게 아주 친절하게 대해 주셨거든요. 하지만 저도 어쩔 수가 없군요. 저는 더 이상 당신을 사랑하지 않아요.

헬멜 (간신히 흥분하는 마음을 억제하면서) 이것도 맑디맑은 정신으로 확신하는 거란 말이요?

노라 네, 틀림없이 맑고 분명하게 깨달은 거예요. 그러기에 저는 더 이상 이 집에 머무를 수 없다는 겁니다.

헬멜 어째서 나는 당신의 사랑을 잃게 된 거지? 그것을 설명해 줄 수 있겠소?

노라 네, 그 설명이라면 해 드릴 수 있지요. 오늘 저녁에 기적이 일어나지 않았기 때문이죠— 왜냐하면 당신은 제가 항상 생각해 온 것과 같은 남자가 아니라는 것을 알았기 때문이에요.

헬멜 무슨 소린지 알 수가 없구려. 설명을 해 주구려.

노라 저는 지난 8년 동안 끈기 있게 기다렸어요. 기적이 매일 일어나지 않는다는 것은 저도 잘 알고 있었지요. 하지만 이번 재난이 닥치자, 저는 이제야말로 기적이 일어나리라고 굳게 믿었어요. 크로그스타의 편지가 그 곳에 내던져졌을 때— 당신이 그 사나이의 요구대로 움직이리라고는 꿈에도 생각해 보지 않았어요. 당신이 그 사나이를 보고 외칠 줄 알았어요. '가서 세상에다 공표를 하게!' 그리고 일이 벌어지게 되면—.

헬멜 그래서? 그 다음에 어떻게 된다는 거요? 내가 자기 아내를 수치와 추문 속에 떨어지게 한 뒤에 말이오?

노라 그 일이 공표되고 나면, 저는 생각했었죠— 저는 완전히 확신을 하고 있었던 거예요— 당신이 나타나서 모든 책임을 한 몸에 지게, 되리라고— 책임은 모두 나에게 있소, 하고 말하리라고 굳게 믿었던 거예요.

헬멜 노라!

노라 당신을 희생시키는 일은 제가 절대로 받아들이지 않을 것이라고 당신은 생각하시겠죠? 그래요, 물론이죠. 저는 가만히 있지는 않을 거예요. 하지만 당신과 반대되는 이야기를 제가 한다고 한들 누가 믿겠어요? 그것이 바로 제가 바라던 기적이었던 거예요……그러면서도 마음속으로는 두려워 떨었던 거죠. 그런 일을 막기 위해서 저는 제 목숨도 버릴 생각이었어요.

헬멜 노라, 나는 당신을 위해서라면 기꺼이 밤과 낮을 가리지 않고 일을 할 수가 있소. 당신을 위해서라면 슬픔과 가난도 견딜 수가 있소. 하지만 비록 사랑하는 사람을 위해서라도 자기의 명예를 희생할 수 있는 남자는 없을 것이오.

노라 수많은 여인들은 희생을 해왔어요.

헬멜 오, 당신은 철부지 아이와 같이 생각하고 말하는구려.

노라 아마 그럴지도 모르죠. 하지만 당신은 제 자신이 일생을 맡길 수 있다고 생각한 사나이답게 생각하지도 않았고 말하지도 않았어요. 제 자신을 위협하게 되었대서가 아니라 당신 자신이 위험에 빠지게 될까 봐 벌벌 떨었으면서도 위험이 이제 지나갔다는 사실을 알게 되자, 당신은 아무런 일도 일어나지 않았던 것처럼 태연해지신 거란 말이에요. 단지 저는 그전과 마찬가지로 작은 종달새고 당신의 인형에 지나지 않는 거예요. 부서지기 쉽다는 것을 알았기 때문에 앞으로는 좀 더 소중하게 취급하게 되리라는 것뿐. (일어선다) 톨발— 그 때 저는 깨달은 거예요. 지난 8년 동안 저는 낯선 사나이와 생활해 왔다는 것, 그리고 그의 자식을 셋이나 낳았다는 것— 아, 참을 수 없어요. 이 몸을 갈기갈기 찢어 버리고 싶군요—.

헬멜 (슬픈 어조로) 그렇소, 나도 알았소— 알아들었다고. 우리들 사이에는 분명히 커다란 틈이 있소— 아, 그러나 노라, 그 틈은 메워질 수 없는 것일까?

노라 지금과 같아서는 저는 당신의 아내라고 할 수가 없어요.

헬멜 나도 딴 사람이 되어 보이겠소.

노라 아마 그럴지도 모르죠— 당신의 손에서 인형이 치워진다면요.

헬멜 하지만 당신을 잃어버린다— 노라, 당신을 잃게 되다니— 아니, 아니오, 나로선 상상조차도 할 수 없는 일이오.

노라 (무대 오른쪽으로 나간다) 그렇다면 더욱 헤어져야만 해요.

그녀는 외투와 여행 가방을 들고 돌아온다. 그것들을 테이블 곁 의자 위에 내려놓는다.

헬멜 노라! 지금 당장은 떠나지 말아요, 노라— 내일 아침까지만 기다려요.

노라 (외투를 입는다) 낯선 사나이의 집에서 하룻밤을 보낼 수는 없어요.

헬멜 그렇다면 오빠와 누이동생으로 우리가 여기서 살 수는 없을까?

노라 (모자를 쓴다) 그런 사이는 오래 계속될 수 없다는 것을 아시면서도 그러세요. (목도리를 두른다) 안녕, 톨발, 애들은 보지 않겠어요. 저보다도 더 잘 그 애들을 보살펴 주는 이가 붙어 있으니까. 지금의 저로서는 애들에게 아무런 도움이 되지 않거든요.

헬멜 그러나 언제가, 노라— 언젠가는?

노라 어떻게 그런 말을 할 수 있겠어요? 제가 앞으로 어떻게 될는지 알 수가 없는 걸요.

헬멜 그러나 당신은 내 아내요— 지금도 앞으로도 어떻게 변하든 간에—.

노라 잘 들으세요, 톨발. 제가 듣자 하니 아내가 남편의 집에서 떠나면 법에 의하여 남편은 아내에 대한 일체의 의무에서 해방된다고 하더군요. 어쨌든 저는 당신을 자유의 몸이 되게 한 거예요. 제가 그 누구에게도 얽매이지 않듯이 당신도 자유의 몸이 된 거예요. 우리 두 사람은 완전한 자유의 몸이 되어야 해요. 자아, 여기 당신이 준 반지를 돌려 드리겠어요. 제 것도 돌려주세요.

헬멜 그것까지도?

노라 그것까지도.

헬멜 자아 여기 있소이다.

노라 자아 이걸로 모두 끝났군요. 여기 집 열쇠가 있어요. 집안 살림에 대해서는 하녀들이 잘 알고 있어요— 저보다 더 잘 알고 있지요. 내일 제가 떠나게 되면 크리스티네가 와서 제가 친정에서 가져왔던 물건들을 짐을 꾸릴 거예요. 나중에 저에게 보내 주세요.

헬멜 끝났다! 모두가 끝났어! 노라, 다시는 내 생각을 하지 않겠다는 거요?

노라 가끔가다 당신 생각이 나겠지요. 그리고 애들 생각, 이 집 생각도 나겠지요.

헬멜 편지를 보내도 괜찮겠소, 노라?

노라 아뇨…… 편지 같은 것은 절대로 보내지 마세요.

헬멜 하지만 틀림없이 나는 당신에게 뭔가 보낼 수 있을 텐데.

노라 아무것도— 아무것도 안 된다니까요.

헬멜 당신이 필요할 때 도와준다든가.

노라 아니에요, 분명히 말씀드리지만요, 낯선 사람한테서는 아무것도 받을 수 없다니까요.

헬멜 노라— 나는 당신에게 낯선 사람 이상의 것이 될 수는 없단 말이오?

노라 (여행 가방을 집어 든다) 오, 톨발— 그러기 위해서는 가장 멋진 기적이 일어났어야만 했던 거예요.

헬멜 그 멋진 기적이란 어떤 것인지 말해 줄 수 없겠소?

노라 우리 두 사람이 완전히 달라졌어야 했던 것인데— 오, 톨발, 저는 더 이상 기적 같은 것은 믿지 않게 됐어요.

헬멜 그러나 나는 믿겠소. 이야기해 주오. 우리들의 사람됨이 완전히 변한다는 건?

노라 그랬었다면 우리들의 목숨은 하나가 되고 진짜 결혼 생활을 보내게 될 수도 있었던 거죠. 안녕.

그녀는 현관으로 나간다

헬멜 (문 옆 의자 위에 푹 주저앉으면서 두 손으로 얼굴을 가린다) 노라! 노라! (그는 일어서서 주위를 둘러본다) 텅 비었구나! 그녀는 더 이상 여기 없구나! (한 줄기 희망의 빛이 얼굴에 빛난다) 가장 멋진 기적이—?!

아래쪽에서 문이 쾅 하고 닫히는 소리가 들려온다.

부록

입센 연보

1828년 3월 20일 노르웨이 남부의 작은 항구 도시인 시엔에서 부유한 상인의 아들로 태어났다.

1836년 (8세) 아버지가 파산하여 교외의 집으로 이사.

1843년 (15세) 견신례를 받다.

1844년 (16세) 그림스타드에 가서 장차 의사가 되기 위해 어느 약제사 집에 제자로 들어감.

1847년 (19세) 이 무렵 시를 잘 썼고, 신학에 흥미를 가졌고 키에르케고르를 읽다. 유럽 각지의 혁명에도 관심을 갖다. 오오레 슈레르 등의 친구가 생기다.

1849년 (21세) 로마의 혁명가를 주인공으로 한 5막의 사극 〈카틸리나〉를 쓰다.

1850년 (22세) 대학 수험 준비를 하기 위해, 4월에 수도인 크리스티아니아(지금의 오슬로)로 옮기다. 그보다 앞서 슈레르의 도움으로 〈카틸리나〉가 출판되다. 뷔니에 뵈른손과 알게 되다. 전년에 쓴 〈노르만 사람〉을 개작하여 〈전사의 무덤〉이라고 제목을 바꾸어서 크리스티아니아 극장에 제출하여 9월에 상연되다. 그의 작품으로는 최초로 상연된 연극이다. 시험에 실패하여 의학을 단념하고 문학으로 출세할 결심을 한다.

1851년 (23세) 시 등을 신문이나 잡지에 기고. 약간 궁색함을 면하다. 2월에 음악가 오오레 불에게 베르겐으로 초대받아 그가 경영하는 국민극장의 전속 작가가 되다.

1852년 (24세) 4월, 극장에서 장학금을 받고, 수도와 덴마크, 독일로 연구 여행을 떠나다. 9월 베르겐으로 돌아오다.

1853년 (25세) 1월 〈성 요한 축제의 전날 밤〉이 상연되었으나 실패.

1855년 (27세) 〈에스트로트의 잉겔 부인〉 상연, 역시 실패.

1856년 (28세) 〈솔하우그의 향연〉 상연, 이것은 성공하여 6회 상연되다. 1월 초에, 나중에 그의 아내가 된 스잔나 토오레센(당시 19세)과 그녀의 집에서 처음 만나다.

1857년 (29세) 사극 〈오라프 리리에크란스〉 상연, 2회 상연됐을 뿐. 여름에 수도 노르웨이 극장에서 급료를 두 배로 준다고 교섭이 와서 원만히 퇴직한 다음 베르겐을 떠나다.

1858년 (30세) 북유럽 사가에서 취재한 걸작 〈헤르게트란의 전사〉를 완성했으나 어느 극장에서도 상연되지 않고, 자비로 상연. 6월 베르겐에서 스잔나와 결혼. 그때까지 두세 사람의 여성과 사랑했으나 결혼에 이르지 못했다.

1859년 (31세) 뵈른손과 우정이 깊어지다. 10월 외동아들 시굴 탄생.

1860년 (32세) 뵈른손 뷔니에와 함께 정부에 장학금을 청원했으나 각하되었다. 그런 탓만은 아니었으나, 몹시 절망하여 우울증에 걸려서 자살까지 생각했다고 한다.

1862년 (34세) 최초의 현대극 〈사랑의 희극〉을 완성, 오래간만에 완성시킨 작품이다. 5월, 크리스티아니아 대학의 보조금으로 북부 협만 지방의 민요와 민화를 채집하러 떠나다. 이때의 여행으로 〈브랑〉, 〈페르 귄트〉의 재료를 얻다. 노르웨이 극장이 파산하다.

1863년 (35세) 신년 초부터, 크리스티아니아 극장의 문학 고문이 되다. 사극 〈왕위를 노리는 자〉를 쓰다. 9월 정부에 세 번째로 장학금을 청원한 것이 허락되어, 해외 여행비를 받게 되다.

1864년 (36세) 1월, 〈왕위를 노리는 자〉가 크리스티아니아 극장에서 상연되어 성공하다. 4월 5일, 크리스티아니아를 출발하여 잠시 코펜하겐과 베를린에서 생활한 다음 빈으로 여행하여 5월에 알프스를 넘고, 로마로 들어가다. 이윽고 그 근교의 마을에서 몇 개월 뒤에 찾아온 처자와 함께 자리 잡고 살다. 이후 예순다섯에 고국으로 돌아가기까지, 28년 동안의 외국 생활이 시작되다.

1865년 (37세) 1864년부터 쓰기 시작한 5막의 〈브랑〉을 2월에 완성, 간행은 다음해.

1866년 (38세) 〈브랑〉은 곧 3판이 발행되어, 그에게 명성과 경제적인 안정을 가져다주다. 노르웨이 정부에서 연금의 추가도 인정되다.

1867년 (39세) 지난해가 끝날 무렵부터 쓰기 시작한 〈페르 귄트〉를 소렌토에서 9월에 완성시켜 11월에 출판하다. 10월에 이탈리아 각지를 여행.

1868년 (40세) 10월, 로마를 떠나 그 후는 주로 드레스덴에서 살다. 이윽고 처제 마리이도 와서 동거. 그녀와의 사이에 사랑 비슷한 감정이 싹트나, 온화한 성격의 그녀는 의지가 강한 언니에게 압박당하여 드레스덴을 떠나다.

1869년 (41세) 산문극 〈청년연맹〉을 완성. 여름에 어머니 돌아가시다. 수에즈 운하가 개통되자, 정부의 대표자로 임명되어, 11월, 최초로 항해하는 배를 타고, 운하의 개통식에 참가한다. 파리를 지나 드레스덴으로 돌아오다.

1870년 (42세) 7월, 프랑스-프러시아 전쟁이 일어나다. 과거 20년 전에 쓴 시를 정리하다.

1871년 (43세) 〈황제와 갈릴레아 사람〉의 제1부 〈쥬리안의 배교〉를 완성(1866년 봄에 구상하다). 게오르크 브란디스와 서신 왕래 시작하다.

1872년 (44세) 〈황제와 갈릴레아 사람〉 외 제2부 〈황제 쥬리안〉에 몰두.

1873년 (45세) 10월, 〈황제와 갈릴레아 사람〉을 출판. 독일과 영국에 차츰 이름이 알려지기 시작하다.

1874년 (46세) 여름, 10년 만에 노르웨이로 돌아오나 두 달 반가량 크리스티아니아에 머무르다가, 스톡홀름을 지나 드레스덴으로 돌아오다. 프랑스에도 알려지기 시작하다.

1875년 (47세) 봄, 뮌헨으로 이사하다.

1876년 (48세) 6월, 작스 아이닌겐 대공의 빈객(賓客)으로 마이닌겐 극단의 〈왕위를 노리는 자〉 상연에 초대되다. 여름을 곳산데스에서 지내다.

1877년 (49세) 부친 사망, 〈사회의 기둥〉 출판.

1878년 (50세) 9월, 로마로 이사하여 〈인형의 집〉을 쓰기 시작하다.

1879년 (51세) 9월, 〈인형의 집〉을 완성하여 12월에 출판하다. 뮌헨으로 이사하다.

1881년 (53세) 로마에서 〈유령〉을 완성, 12월에 간행하다.

1882년 (54세) 지난해가 끝날 무렵부터 쓰기 시작한 〈민중의 적〉을 완성시키고, 11월에 출판.

1884년 (56세) 6월 로마를 떠나 곳산데스로 가다. 〈들오리〉를 9월에 완성시키고, 11월에 출판.

1885년 (57세) 6월, 크리스티아니아에 가서 잠시 고국에 머무르다. 10월, 뮌헨에 자리잡고 살다.

1886년 (58세) 이 무렵, 노르웨이와 덴마크에서 보수파와 급진파 학생들에 의한 그의 쟁탈전 비슷한 사건이 있었으나, 그 자신은 급진파에 대하여 겨우 회의를 품게 되었다. 〈로스메르 저택〉 9월 완성. 11월 출판.

1887년 (59세) 이 무렵부터 정치적인 관심이 사라지기 시작하다. 7월부터 9월에 걸쳐, 덴마크, 스웨덴을 방문하여 뮌헨으로 돌아오다.

1888년 (60세) 〈바다에서 온 부인〉을 9월에 완성, 11월에 출판.

1890년 (62세) 뮌헨에서 〈헤다 가블레르〉를 11월에 완성, 12월에 출판.

1891년 (63세) 7월, 뮌헨을 떠나 고국으로 돌아오다. 모든 당파에게 성대한 환영을 받고, 크리스티아니아에 정착할 결심을 하다.

1892년 (64세) 〈건축사 솔네스〉를 10월에 완성, 12월에 출판. 아들 시굴이 뵈른손 외동딸과 결혼하다.

1894년 (66세) 〈작은 아이욜프〉를 10월에 완성, 12월에 출판.

1896년 (68세) 〈욘 가브리엘 보르크만〉을 10월에 완성, 12월에 출판.

1898년 (70세) 3월 20일, 거국적으로 성대하게 70회 생일 잔치를 받고, 덴마크, 스웨덴으로 가서 똑같이 열렬한 환영을 받았다. 〈브랑〉의 축하 상연. 독일과 덴마크에서 처음으로 창작집이 출판되다. 하지만 여러 가지 축하 행사로 피로를 느껴, 병이 나서 모든 방문객을 사절하게 되다.

1899년 (71세) 9월, 크리스티아니아의 국립 극장 개장식에 출석. 마지막 작품이 된 〈우리들 죽은 사람이 눈뜰 때〉를 11월에 완성, 12월에 출판.

1900년 (72세) 봄, 최초의 발작. 오른쪽 반이 부분적으로 마비되다.

1901년 (73세) 두 번째로 발작을 일으켜 걸을 수도, 글씨를 쓸 수도 없게 된 채 병상에 눕다.

1906년 (78세) 5월 23일, 오전 두 시 반에 영면, 국장을 지내다.

해설

1828년, 노르웨이 남부 시엔이라는 작은 항구 도시에서 태어난 헨릭 입센(Henrik Ibsen)은 18세기 중엽부터 시작된 유럽의 근대적인 시민비극(bourgeois tragedy) 또는 시민극(bourgeois drama)을 완성하는 동시에 현대 연극의 출발점이 되기도 한 여러 희곡을 발표했다. 특히 《인형의 집》은 "아내이며 어머니이기 이전에 한 사람의 인간으로서 살겠다"며 새로운 유형의 여인 노라의 각성 과정을 그려냄으로써 세계적인 화제가 되었고, 입센은 명실상부한 근대극의 제1인자가 되었다.

입센의 성장 배경

입센이 태어난 고장은 재목의 집산지로 이름난 곳인데, 아버지 쿠누 입센(Knud Ibsen)은 이곳에서 활발하게 장사를 하던 재목상이었다. 조상은 덴마크 출신으로서 조상들 가운데 스코틀랜드와 독일 계통의 피가 섞여 있었다고 전해진다. 어머니는 마리헨 알텐부르크(Marichen Altenburg)로, 그 이름이 나타내듯이 독일계로서 역시 상인의 딸이었다.

입센의 시인으로서의 재능은 음악을 즐기고 예술적인 분위기를 지녔던 어머니에게 물려받은 것인데, 부유한 입센 집안의 큰아들로 살았던 것도 잠깐, 여덟 살 되던 해에 불행하게도 집안은 파산을 하고 시내에서 몇 마일 떨어진 곳에 있던 시골집만 남았다. 집안 식구들이 그 집으로 옮겨 살게 되고 나서 7년 뒤인 1843년, 열다섯 살이 된 입센은 집안 식구들과 헤어져 혼자서 노르웨이 최남단에 있는 그림스타드(Grimstad)로 옮겼다. 열다섯 살이 된 뒤로는 집안 사정상 생계를 책임지지 않으면 안 되었기 때문이다.

극작가로서의 삶을 시작

친구도 없이 혼자서 남몰래 공부를 하곤 했던 이 작은 고장은, 저속하고 평범한 분위기가 지배적이라 입센은 더욱더 외롭고 비사교적으로 지냈다. 그는 그러한 심정을 풍자시와 글로 써서 신문에 투서하는 것으로 스스로를 위로하곤 했다.

1848년 파리의 2월 혁명을 비롯하여 유럽에는 혁명적인 기운이 가득 차 있었는데, 입센도 타고난 반항벽 때문에 마음이 안정되지 않아 당시 독일의 압박을 받아 싸우고 있던 덴마크를 구해주는 것은 노르웨이의 의무라는 내용이 담긴 시를 써서 국왕에게 바치기도 했다. 이러한 행동과 사상은 그림스타드의 젊은이들 사이에 공감대를 형성했고 그에게도 친구들이 생겨 사교 생활을 즐기게 되었다.

입센은 시를 써서 가난한 생활을 꾸려나가면서 대학에 들어가기 위해 라틴어 공부를 하기도 했다. 이러한 생활 속에서 태어난 것이 로마 시대의 혁명가를 주인공으로 쓴 최초의 운문사극인 〈카틸리나〉이다. 이 처녀 작품은 무대에 올려지지 못했지만 친구의 호의로 책으로 출판되었으나 주목을 받지는 못했다. 그 뒤 대학 시험을 보기 위해 수도인 크리스티아니아에 가서 입학 시험 공부를 했지만 결국 대학 시험에서 떨어졌고, 의사가 되겠다는 결심을 포기하게 되었다. 대신 드라마를 쓰겠다는 결심을 하게 되는데, 이것이 바로 1850년의 일이다.

1850년, 드디어 입센의 작품 가운데 최초로 상연된 극이 태어났다. 1막극의 운문극인 〈노르만 사람〉 (나중에 〈전사의 무덤〉으로 개제됨)이 극장에 채택되어 상연되자 작가로 나설 것을 결심했다. 친구들과 《사람 : Andhrimner》이란 주간지를 발간하였으나 사회주의적 경향 때문에 곧 폐간되기도 했고, 1851년 가을에는 베르겐에서 개관한 국민극장 전속작가 겸 무대감독으로 초청을 받기도 했다. 이때 무대 기교를 연구한 것이 훗날 극작가로 대성하는 밑거름이 되었다.

〈인형의 집〉의 줄거리

여주인공 노라는 친정에서는 귀염둥이로서 부모의 사랑을 받고 곱게 자랐으며 헬멜에게 시집을 간 후에도 인형과 같이 귀여움을 받으며 명랑하게, 마음 내키는 대로 살아왔다. 늘 종달새처럼 노래하고 다람쥐처럼 온 집안을 뛰어다닌다. 그녀의 유일한 고민이라면 남편이 병으로 눕게 되었을 때 요양을 시키기 위해 고리대금을 하는 크로그스타로부터 돈을 빌린 것인데, 그때 고리대금업자가 요구한 차용증서에 아버지의 이름을 허위 서명한 일도 그리 큰 마음의 짐이 되지는 않는다. 그녀는 남편에게서 용돈을 좀 더 넉넉하게 타기 시작하면 그 중 일부를 부채를 갚는 데 쓰고, 부채가 모두 청산되었을 때는 남편에게 고백해서 크게 칭찬을 받을 생각이었다.

한편 은행의 전무로 취임하게 된 노라의 남편 헬멜은 크로그스타와 은행과의 좋지 않은 인연을 끊으려고 마음먹고 있다. 크로그스타는 그 기미를 알고 자기의 지위를 유지하기 위해 노라를 문서위조 혐의를 들어 협박한다. 노라는 넌지시 남편을 설득시켜보지만 헬멜의 결심은 요지부동이다. 궁지에 빠진 노라는 이대로 가다가는 크로그스타가 노라의 죄를 폭로하여 오히려 남편을 실각시킬 것이라고 생각하지만, 그렇다고 자진해서 남편에게 비밀을 자백하게 되면 남편이 크로그스타에게 굴복하든가, 아니면 일체의 사회적 지위를 포기하고 은퇴하든가 하게 될 것이라며 괴로워한다.

크리스마스의 밤. 궁지에 빠진 노라는 가장을 하고 타란텔라를 춤춘다. '타란텔라' 란 '독거미' 란 뜻을 지닌 이탈리아어. 벌레에 물린 아픔을 호소라도 하듯 쉴 새 없이 발을 놀리며 점프를 하는 것이 특징이다. 그녀는 춤을 추면서 마음속으로 남편의 사랑을 믿으며 그 사랑의 기적을 기다린다. 자신이 저지른 문서 위조를 알게 되더라도 그것이 남편을 사랑하기 때문에 저질러진 일이었다는 것을 이해하고, 그가 사회적 지위를 단념하고서라도 자기를 용서해주리라 생각한다. 그러나 모든 것을 알게 된 남편은 자기를 파멸시켰다고 노발대발한다.

한편 남편의 사랑에 실망한 노라에게 기회가 찾아온다. 미망인인 노라의 옛 친구가 노라를 위해서 자신을 짝사랑하던 크로그스타의 사랑을 받아들이기로 한 것이다. 이를 계기로 크로그스타는 차용증서를 무상으로 노라에게 되돌려줌으로써 노라는 위기에서 벗어난다. 그러자 헬멜은 마음을 바꾸고 다시 노라를 귀엽게 다룬다. 그러나 이미 진실한 애정과 인간성이라는 것이 어떤 것인가를 깨달은 노라는 이 허위에 찬 가정에 머물 수 없다고 생각한다. 아내로서, 어머니로서의 의무를 뿌리치고 남편과 자식을 버리고 나가겠느냐는 헬멜의 질문에 아내이고 어머니이기 전에 먼저 하나의 인간으로서 살고 싶다는 말을 남기고 노라는 가방을 하나 든 채 깊은 밤거리로 나선다.

〈인형의 집〉의 집필과 공연

1879년 12월에 출판된 〈인형의 집〉을 구상한 것은 적어도 전년 가을 입센이 독일에서 로마로 이사를 했을 때로 추정된다. 입센은 쓰면서 구상을 다시 하고, 인물과 장면에 손질을 하는 타입의 작가였기 때문에 등장인물의 이름 등은 집필 도중에 얼마든지 달라질 수가 있었다. 〈인형의 집〉 초고도 내용은 최종 원고와 다를 바 없지만, 장면과 인물 묘사에서는 초고와 많이 달랐다. 우선, "노라는 타란텔라다"라고 말한 비평가가 있을 정도로 유명한 춤 장면이 초고에는 없다. 대신 노라는 〈페르 귄트〉의 〈아니트라의 노래〉를 부르기로 되어 있었다. 또한 초고에는 〈여성해방의 높은 선언〉이라고 알려진 막이 내리는 순간, 쾅 하고 문 닫는 소리도 없다.

헬멜과 랭크의 성격도 뚜렷하지 않았다. 헬멜이 종막에서 크로그스타가 보낸 후회하는 편지를 보고 최종 원고에서는 "나는 살았다!"고 말함으로써 철저하고 이기적인 성격임을 나타내고 있지만, 초고에서는 노라를 향해 "당신은 살았소"라고 표현하고 있다. 그 밖에 랭크가 노라를 사모한다는 이야기도 없다. 이렇듯 가필이 많았지만 최종 원고는 상당히 빠른 시일 안에 완성되었다. 9월 2일에 1막의 정서된 원고가 출판사에 보내졌고, 9월 20일까지는 3막까지 발송을 했다. 인쇄는 10월 안에 끝났다. 그러나 독일어 번역의 동시 출판과 각 극장과의 상연 교섭 때문에 책의 발매는 12월 4일까지 연장되었다. 초연을 12월 21일로 한 코펜하겐 왕립극장은 연극이 상연된 뒤에 책을 발매해주길 원했으나, 그렇게 되면 크리스마스 대목을 놓치게 되므로 입센은 그 요구를 거부했다. 초판은 8천 부, 입센으로는 파격적인 부수였으나 곧 매진이 되었고 재판된 3천 부도 다 팔려서 다음해 2월에는 3판이 나왔다.

초연은 예정대로 12월 21일 코펜하겐 왕립극장에서 올려졌고 그 뒤 각지 극장에서 상연이 되어 노라가 집을 나간 행위에 대한 토론이 요란스럽게 전개되었다. 스톡홀름의 어느 살롱에서는 '〈인형의 집〉 토론 거절함' 이라는 표식까지 붙였다고 한다. 한편 독일에서는 노라 역을 맡은 여배우가 "나는 결코 어린애를 버리지 않는다" 고 말하고 가출하는 장면을 연기하기를 거부했기 때문에 그 말을 들은 입센은 스스로 결말을 고쳐 쓰기도 했다. 입센은 이처럼 다시 쓰게 된 것을 스스로 "야만스럽기 그지없는 폭력 행위" 라고 말했지만, 오늘날 그때의 독일어 번역본이 남아 있다. 참고로 소개하면 이렇다.

노라 우리 두 사람의 공동생활이 진짜 결혼 생활이 되지요. 안녕! (나가려고 한다)

헬멜 그렇다면 가도 좋소! (그녀의 팔을 잡는다) 그러나 그 전에 아이들과 마지막 작별을 해 주어야 하오!

노라 놓으세요! 애들은 보지 않겠어요! 그런 짓은 할 수가 없어요.

헬멜 (그녀를 아이들 방문 있는 데로 끌고 간다) 보라고! (문을 열고 낮은 목소리로) 자아, 애들은 저기서 자고 있소. 정신없이 편안하게. 내일 잠이 깨면 어머니를 찾겠지. 그때 저 애들은 벌써 ―어미 없는 자식인 거요.

노라 (떤다) 어미 없는 자식―.

헬멜 당신이 그랬었던 것처럼 말이오.

노라 어미 없는 자식! (마음속에서 싸운다. 마침내 여행 가방이 떨어진다) 아, 내 자신에 대해서 죄를 범하는 것은 그래도 괜찮아. 하지만 저 애들을 모른 체하고 떠날 수는 없어. (문 앞에서 무릎을 꿇는다)

헬멜 (기뻐하면서 그러나 낮게) 노라—.

막이 내린다.

노라, 주체적인 자아를 찾아가는 여성의 상징

〈인형의 집〉은 입센의 여러 명작 중에서도 가장 큰 반향을 불러일으킨 문제작이며, 주인공 노라의 이름은 새로운 시대의, 새로운 여자의 대명사가 되었다. 또한 이 작품은 여성해방 문제를 다룬 대표작이 되기도 했다. 그러나 입센은 이른바 페미니스트는 결코 아니다. 그가 태어났을 때 불륜으로 태어난 자식이라는 소문이 있었고, 열여덟 살 위의 연인에게 아이를 낳게 했으며, 결혼하여 아들이 생기자, 아내는 또다시 아이를 갖는 것을 거부하기도 했다. 즉 성생활을 거부당했을 가능성도 있는 입센에게 여성을 존중하는 가치관이 뚜렷하다고는 할 수 없을 것이다. 그가 70세 되던 생일을 축하하기 위해 노르웨이의 여성해방동맹이 주최한 파티에서 입센은 사람들의 건배에 대답하며 이렇게 말했다고 한다.

"……저에게 주신 건배에는 감사합니다만 제가 의식적으로 여성해방을 위해서 공헌을 했다는 명예는 받을 수가 없습니다. 도대체 저로서는 여성해방이란 어떤 것인지조차도 잘 알고 있지 않으니 말입니다. 제가 해온 일이란 인간의 살아가는 태도에 대해 묘사한 것뿐입니다."

따라서 입센에게 〈인형의 집〉은 개혁적인 모럴을 염두에 둔 극이라기보다는 오히려 시인으로서 허위의식과 기만 속에 감추어진 인간의 본성을 탐구하기 위해서 남녀 생활의 실상을 조명하고, 그곳에서 거짓을 꿰뚫어봄으로써, 남녀를 불문하고 그들의 허위 속에 감추어진 인간으로서의 진실을 확립하려고 했다고 보는 것이 적절하다. 또한 작품의 치밀한 구성과 극적인 전개, 사실적인 대화에 더 주목할 만하다. 특히 사건이 한창 전개되어가는 중간에 사람을 끌어들여 그때까지의 경과를 소급해서 밝혀주면서 강렬한 긴장으로 단숨에 종말까지 이끌어가는 점(타란텔라의 춤은 노라의 성격과 극의 전체를 상징하는 경향이 있다)은 과연 〈인형의 집〉이 근대극의 수법을 확립하고 완성시킨 거장의 수완을 보여주는 것이라 하겠다.

〈인형의 집〉이 시대를 초월하여 오늘날에도 고전으로서 신선한 맛을 잃지 않는 것은 극중 인물들의 성격과 인간성에 생생한 생명력이 넘쳐흐르기 때문이며, 이 땅 위에 결혼 제도가 없어지지 않는 한, 오늘을 사는 우리에게도 저마다 각기 다른 각도에서 큰 감흥과 반성을 안겨준다는 점일 것이다.

그러나 더 중요한 것은 오늘날 입센이 창조해낸 〈인형의 집〉의 주인공 노라는 독립적이고 주체적인 자아에 눈을 뜬 여성의 상징적 인 이름이 되었고, 100여 년이나 흐른 지금도 여전히 유효한 문화적 코드로 자리 잡고 있는 것이다. 여성의 권익이 신장된 오늘날에도 〈인형의 집〉이 계속해서 무대에 올려지고 있는 이유는 무엇일까. 여전히 노라와 헬멜의 대사는 감동으로 마음을 적시고, 사랑, 가정, 희생을 말하는 우리들 자신의 허위의식을 깨우치게 만든다.

옮긴이 **안동민**

서울대학교 문리대 국문과를 졸업했다.
경향신문에 장편소설 《성화(聖火)》가 당선(1951)되었고,
조선일보 신춘문예에 《밤》으로 입선(1953)했다.
지은 책으로 장편소설 《생(生)》, 《숙영낭자전》,
작품집 《문》, 《익춘(益春)》, 《어느 날의 아담》, 동화집 《이상한 꿈》,
옮긴 책으로는 고골리 《죽은 혼》, 헤밍웨이 《해는 또다시 뜬다》,
린위탕 《내 나라 내 국민》, 《생활의 발견》,
존 파울즈 《콜렉터》 외 다수가 있다.

인형의 집

1판 1쇄 발행 1975년 3월 1일
2판 1쇄 발행 2007년 10월 31일
2판 9쇄 발행 2019년 9월 10일

지은이 헨릭 입센 | **옮긴이** 안동민
펴낸곳 (주)문예출판사 | **펴낸이** 전준배
출판등록 1966. 12. 2. 제 1-134호
주소 03992 서울시 마포구 월드컵북로 6길 30
전화 393-5681 | **팩스** 393-5685
홈페이지 www.moonye.com | **블로그** blog.naver.com/imoonye
페이스북 www.facebook.com/moonyepublishing | **이메일** info@moonye.com

ISBN 978-89-310-0579-0 03890

■ 문예 세계문학선

★ 서울대, 연세대, 고려대 필독 권장도서 ▲ 미국 대학위원회 추천도서
● 《타임》 선정 현대 100대 영문 소설 ▽ 《뉴스위크》 선정 세계 100대 명저

1 **젊은 베르테르의 슬픔** 괴테 / 송영택 옮김
▲▽ 2 **멋진 신세계** 올더스 헉슬리 / 이덕형 옮김
▲●▽ 3 **호밀밭의 파수꾼** J. D. 샐린저 / 이덕형 옮김
4 **데미안** 헤르만 헤세 / 구기성 옮김
5 **생의 한가운데** 루이제 린저 / 전혜린 옮김
6 **대지** 펄 S. 벅 / 안정효 옮김
●▽ 7 **1984년** 조지 오웰 / 김병익 옮김
▲●▽ 8 **위대한 개츠비** F. 스콧 피츠제럴드 / 송무 옮김
▲●▽ 9 **파리대왕** 윌리엄 골딩 / 이덕형 옮김
10 **삼십세** 잉게보르크 바흐만 / 차경아 옮김
★▲ 11 **오이디푸스왕 · 안티고네** 소포클레스 · 아이스퀼로스 / 천병희 옮김
★▲ 12 **주홍글씨** 너새니얼 호손 / 조승국 옮김
▲●▽ 13 **동물농장** 조지 오웰 / 김병익 옮김
★ 14 **마음** 나쓰메 소세키 / 오유리 옮김
★ 15 **아Q정전 · 광인일기** 루쉰 / 정석원 옮김
16 **개선문** 레마르크 / 송영택 옮김
★ 17 **구토** 장 폴 사르트르 / 방곤 옮김
18 **노인과 바다** 어니스트 헤밍웨이 / 이경식 옮김
19 **좁은 문** 앙드레 지드 / 오현우 옮김
★▲ 20 **변신 · 시골 의사** 프란츠 카프카 / 이덕형 옮김
★▲ 21 **이방인** 알베르 카뮈 / 이휘영 옮김
22 **지하생활자의 수기** 도스토옙스키 / 이동현 옮김
★ 23 **설국** 가와바타 야스나리 / 장경룡 옮김
★▲ 24 **이반 데니소비치의 하루** A. 솔제니친 / 이동현 옮김
25 **더블린 사람들** 제임스 조이스 / 김병철 옮김
★ 26 **여자의 일생** 기 드 모파상 / 신인영 옮김
27 **달과 6펜스** 서머싯 몸 / 안흥규 옮김
28 **지옥** 앙리 바르뷔스 / 오현우 옮김
★▲ 29 **젊은 예술가의 초상** 제임스 조이스 / 여석기 옮김
▲ 30 **검은 고양이** 애드거 앨런 포 / 김기철 옮김
★ 31 **도련님** 나쓰메 소세키 / 오유리 옮김
32 **우리 시대의 아이** 외된 폰 호르바트 / 조경수 옮김
33 **잃어버린 지평선** 제임스 힐턴 / 이경식 옮김
34 **지상의 양식** 앙드레 지드 / 김붕구 옮김
35 **체호프 단편선** 안톤 체호프 / 김학수 옮김
36 **인간실격 · 사양** 다자이 오사무 / 오유리 옮김
37 **위기의 여자** 시몬 드 보부아르 / 손장순 옮김
●▽ 38 **댈러웨이 부인** 버지니아 울프 / 나영균 옮김
39 **인간희극** 윌리엄 사로얀 / 안정효 옮김
40 **오 헨리 단편선** O. 헨리 / 이성호 옮김
★ 41 **말테의 수기** R. M. 릴케 / 박환덕 옮김
42 **파비안** 에리히 케스트너 / 전혜린 옮김
★▲▽ 43 **햄릿** 윌리엄 셰익스피어 / 여석기 옮김
44 **바라바** 페르 라게르크비스트 / 한영환 옮김
45 **토니오 크뢰거** 토마스 만 / 강두식 옮김
46 **첫사랑** 투르게네프 / 김학수 옮김
47 **제3의 사나이** 그레엄 그린 / 안흥규 옮김
★▲▽ 48 **어둠의 속** 조셉 콘래드 / 이덕형 옮김
49 **싯다르타** 헤르만 헤세 / 차경아 옮김
50 **모파상 단편선** 기 드 모파상 / 김동현 · 김사행 옮김
51 **찰스 램 수필선** 찰스 램 / 김기철 옮김
★▲▽ 52 **보바리 부인** 귀스타브 플로베르 / 민희식 옮김
53 **페터 카멘친트** 헤르만 헤세 / 박종서 옮김
★ 54 **몽테뉴 수상록** 몽테뉴 / 손우성 옮김
55 **알퐁스 도데 단편선** 알퐁스 도데 / 김사행 옮김
56 **베이컨 수필집** 프랜시스 베이컨 / 김길중 옮김
★▲ 57 **인형의 집** 헨릭 입센 / 안동민 옮김
★ 58 **심판** 프란츠 카프카 / 김현성 옮김
★▲ 59 **테스** 토마스 하디 / 이종구 옮김
★▽ 60 **리어왕** 셰익스피어 / 이종구 옮김
61 **라쇼몽** 아쿠타가와 류노스케 / 김영식 옮김
▲▽ 62 **프랑켄슈타인** 메리 셸리 / 임종기 옮김
▲●▽ 63 **등대로** 버지니아 울프 / 이숙자 옮김
64 **명상록** 마르쿠스 아우렐리우스 / 이덕형 옮김
65 **가든 파티** 캐서린 맨스필드 / 이덕형 옮김
66 **투명인간** H. G. 웰스 / 임종기 옮김
67 **게르트루트** 헤르만 헤세 / 송영택 옮김
68 **피가로의 결혼** 보마르셰 / 민희식 옮김

(뒷면 계속)

★ 69 **팡세** 블레즈 파스칼 / 하동훈 옮김
70 **한국 단편 소설선 1** 김동인 외
71 **지킬 박사와 하이드** 로버트 L. 스티븐슨 / 김세미 옮김
▲ 72 **밤으로의 긴 여로** 유진 오닐 / 박윤정 옮김
★▲▽ 73 **허클베리 핀의 모험** 마크 트웨인 / 이덕형 옮김
74 **이선 프롬** 이디스 워튼 / 손영미 옮김
75 **크리스마스 캐럴** 찰스 디킨슨 / 김세미 옮김
★▲ 76 **파우스트** 요한 볼프강 폰 괴테 / 정경석 옮김
▲ 77 **야성의 부름** 잭 런던 / 임종기 옮김
★▲ 78 **고도를 기다리며** 사뮈엘 베케트 / 홍복유 옮김
★▲▽ 79 **걸리버 여행기** 조너선 스위프트 / 박용수 옮김
80 **톰 소여의 모험** 마크 트웨인 / 이덕형 옮김
★▲▽ 81 **오만과 편견** 제인 오스틴 / 박용수 옮김
★▽ 82 **오셀로 · 템페스트** 윌리엄 셰익스피어 / 오화섭 옮김
★ 83 **맥베스** 윌리엄 셰익스피어 / 이종구 옮김
▽ 84 **순수의 시대** 이디스 워튼 / 이미선 옮김
★ 85 **차라투스트라는 이렇게 말했다** 니체 / 황문수 옮김
★ 86 **그리스 로마 신화** 에디스 해밀턴 / 장왕록 옮김
87 **모로 박사의 섬** H. G. 웰스 / 한동훈 옮김
88 **유토피아** 토머스 모어 / 김남우 옮김
★▲ 89 **로빈슨 크루소** 대니얼 디포 / 이덕형 옮김
90 **자기만의 방** 버지니아 울프 / 정윤조 옮김
▲ 91 **월든** 헨리 D. 소로 / 이덕형 옮김
92 **나는 고양이로소이다** 나쓰메 소세키 / 김영식 옮김
★ 93 **폭풍의 언덕** 에밀리 브론테 / 이덕형 옮김
★▲ 94 **스완네 쪽으로** 마르셀 프루스트 / 김인환 옮김
★ 95 **이솝 우화** 이솝 / 이덕형 옮김
★ 96 **페스트** 알베르 카뮈 / 이휘영 옮김
▲ 97 **도리언 그레이의 초상** 오스카 와일드 / 임종기 옮김
98 **기러기** 모리 오가이 / 김영식 옮김
★▲ 99 **제인 에어 1** 샬럿 브론테 / 이덕형 옮김
★▲100 **제인 에어 2** 샬럿 브론테 / 이덕형 옮김
101 **방황** 루쉰 / 정석원 옮김
102 **타임머신** H. G. 웰스 / 임종기 옮김
●103 **보이지 않는 인간 1** 랠프 엘리슨 / 송무 옮김
●104 **보이지 않는 인간 2** 랠프 엘리슨 / 송무 옮김
▲105 **훌륭한 군인** 포드 매덕스 포드 / 손영미 옮김
106 **수레바퀴 아래서** 헤르만 헤세 / 송영택 옮김
▲107 **죄와 벌 1** 도스토옙스키 / 김학수 옮김
▲108 **죄와 벌 2** 도스토옙스키 / 김학수 옮김
109 **밤의 노예** 미셸 오스트 / 이재형 옮김
110 **바다여 바다여 1** 아이리스 머독 / 안정효 옮김
111 **바다여 바다여 2** 아이리스 머독 / 안정효 옮김
112 **부활 1** 톨스토이 / 김학수 옮김
113 **부활 2** 톨스토이 / 김학수 옮김
▲●114 **그들의 눈은 신을 보고 있었다** 조라 닐 허스턴 / 이미선 옮김
115 **약속** 프리드리히 뒤렌마트 / 차경아 옮김
116 **제니의 초상** 로버트 네이선 / 이덕희 옮김
117 **트로일러스와 크리세이드** 제프리 초서 / 김영남 옮김
118 **사람은 무엇으로 사는가** 톨스토이 / 이순영 옮김
119 **전락** 알베르 카뮈 / 이휘영 옮김
120 **독일인의 사랑** 막스 뮐러 / 차경아 옮김
121 **릴케 단편선** R. M. 릴케 / 송영택 옮김
122 **이반 일리치의 죽음** 톨스토이 / 이순영 옮김
123 **판사와 형리** F. 뒤렌마트 / 차경아 옮김
124 **보트 위의 세 남자** 제롬 K. 제롬 / 김이선 옮김
125 **자전거를 탄 세 남자** 제롬 K. 제롬 / 김이선 옮김
126 **사랑하는 하느님 이야기** R. M. 릴케 / 송영택 옮김